Poèmes 6e-5e

Notes, questionnaires et dossier Bibliocollège
par **Niloufar SADIGHI**,
professeur agrégé de Lettres modernes,
professeur en collège et lycée

Crédits photographiques

p. 5 : Joachim du Bellay, crayon anonyme, XVIe siècle, © Photothèque Hachette Livre. Pierre de Ronsard, © Photothèque Hachette Livre. Jean de La Fontaine, Portrait, École française, XVIIe siècle, © Photothèque Hachette Livre. Victor Hugo, © Photothèque Hachette Livre. Charles Baudelaire, photographie de Nadar, © Photothèque Hachette Livre. Arthur Rimbaud, photographie Harlingue, © Photothèque Hachette Livre. **p. 7 :** *La Lecture* (détail), Walter Firle, © Photothèque Hachette Livre. **pp. 15, 22 :** © Photothèque Hachette Livre. **p. 23 :** *Deux amours s'embrassant* (détail), fac-similé d'un dessin de Jules Romain, © Photothèque Hachette Livre. **pp. 26, 30, 35 :** © Photothèque Hachette Livre. **p. 43 :** *La Bohémienne endormie* (détail), Henri Rousseau, 1897, © The Museum of modern Art, New York, Photo Photothèque Hachette Livre. **pp. 49, 53 :** © Photothèque Hachette Livre. **pp. 57-58 :** gravures sur bois de Raoul Dufy pour *Le Bestiaire ou Cortège d'Orphée d'Apollinaire*, Gallimard, 1911, © ADAGP, Paris 2002. **p. 61 :** Cosmographie universelle selon les navigateurs, tant anciens que modernes (détail), par Guillaume Le Testu, 1556, Paris, Bibliothèque du ministère de la Défense, © Photothèque Hachette Livre. **p. 65 (haut et bas) :** © Photothèque Hachette Livre. **p. 68 :** © Réunion des Musées nationaux. **p. 73 :** Paris, Musée de Cluny, © Photothèque Hachette Livre. **p. 76 :** © Photothèque Hachette Livre. **p. 77 :** Chinois « enthousiasmé », dessin à la plume de Victor Hugo, Paris, Maison de Victor Hugo, © Photothèque Hachette Livre. **p. 79 :** © Photothèque Hachette Livre. **p. 87 :** © Réunion des Musées nationaux. **p. 106 :** Arts décoratifs, Paris. © Photothèque Hachette Livre. **pp. 108, 109, 114 :** © Photothèque Hachette Livre.

Conception graphique

Couverture : *Audrey Izern*

Intérieur : *ELSE*

Mise en page

Médiamax

Illustration des questionnaires

Harvey Stevenson

ISBN : 978-2-01-168418-9

Sommaire

Introduction 5

POÈMES

Poèmes choisis et questionnaires

Poésie de l'enfance

Aux Feuillantines, de Victor Hugo 7

Querelle, de Théodore de Banville 9

Les Effarés, d'Arthur Rimbaud 13

Le Cancre, de Jacques Prévert 19

L'Enfant sage, de Claude Roy 20

L'amour et l'amitié

Chanson, de Pierre de Ronsard 23

Chanson, de Jean de Lingendes 25

Les Cloches du soir, de Marceline Desbordes-Valmore 27

Les Roses d'Ispahan, de Leconte de Lisle 28

Chanson, de Marie Noël 34

Chanson pour l'Auvergnat, de Georges Brassens 36

Mots et animaux

Le Loup et l'Agneau, de Jean de La Fontaine 43

La Grenouille qui se veut faire aussi grosse que le Bœuf,
de Jean de La Fontaine 51

Le Chat, de Charles Baudelaire 52

Le Paon, de Guillaume Apollinaire 57

Le Dromadaire, de Guillaume Apollinaire 58

Pour faire le portrait d'un oiseau, de Jacques Prévert 59

Monts et merveilles

Heureux qui, comme Ulysse..., de Joachim du Bellay 61
Demain, dès l'aube..., de Victor Hugo 67
Épiphanie, de José Maria de Heredia 72
Ma bohème, d'Arthur Rimbaud 74
Voyages, d'Anna de Noailles 75

Poèmes pour rire

Le Corbeau voulant imiter l'Aigle, de Jean de La Fontaine .. 77
La Poésie comme elle s'écrit, de Lucie Spède 83
La Mouche qui louche, de Jean Orizet 84
La Ronde, de Jean-Luc Moreau 85
L'Onomatopée, d'Andrée Chédid 86
Les Mots-gigognes, de Claude-Rose et Lucien-Guy Touati ... 88

DOSSIER BIBLIOCOLLÈGE

Petit traité de versification 102
Il était une fois la poésie 107
Groupement de textes : « Calligrammes » 120
Bibliographie 125

Introduction

Du temps des anciens Grecs, on prêtait à la poésie des pouvoirs surnaturels. Dès l'origine liée à la musique et aux rituels religieux, la poésie accompagne depuis toujours la vie des hommes, leur permet d'exprimer leurs émotions, leurs doutes et parfois leur détresse.

On a longtemps pensé que le poète était un être supérieur, élu des dieux et des Muses dont il recevait son inspiration. Toujours admirés, les poètes sont avant tout des artisans de la langue, capables d'opérer des rapprochements inattendus entre les mots et les sonorités, et de nous faire voir autrement ce que nous avons perdu l'habitude de regarder, donc de susciter, par la magie des mots, un monde nouveau. Travaillant à la fois sur le rythme, les sonorités, les images, l'organisation des mots et la mise en espace du poème, le poète fait un travail minutieux sur le langage qui suscite l'admiration et l'émotion du lecteur. En quête de beauté et de perfection, le poète

▲ Du Bellay

▼ Ronsard

▲ La Fontaine

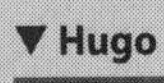

▼ Hugo

▲ Baudelaire

▼ Rimbaud

est celui qui « cent fois sur le métier remet son ouvrage » pour transmettre sa vision du monde.
Ce recueil est une anthologie ou un florilège poétique, c'est-à-dire qu'il se compose de textes choisis.
Le premier groupement de poèmes, « Poésie de l'enfance », vous permettra de voir que si le thème de l'enfance intéresse autant les poètes, c'est peut-être parce que tout enfant porte sur le monde un regard de poète ou qu'en tout poète dort un enfant.
Le deuxième groupement, « Amour et amitié », s'attache au thème universel des sentiments amoureux, des affections déclarées ou cachées, des émois du cœur et des liens profonds qui se tissent entre les âmes.
Vous pourrez lire dans le troisième groupement, « Mots et animaux », des fables où les animaux symbolisent les hommes, et d'autres textes où ces compagnons familiers semblent transfigurés par le regard du poète. C'est bien grâce aux mots que le poète donne une âme aux animaux, ces êtres non doués de parole et qui pourtant nous ressemblent.
Mais la poésie est aussi voyage. Le groupement « Monts et merveilles » vous propose de vous évader dans les mots et de parcourir le livre du monde. Si nombre de poètes furent aussi de grands voyageurs, c'est peut-être qu'entre les images et le voyage, la distance est faible, et c'est celle que l'on vous invite à franchir ici, parfois pour mieux revenir au point de départ.
Enfin, les « Poèmes pour rire » prouvent, s'il le fallait, que le regard du poète est souvent plein d'humour et que la poésie n'est pas un genre triste. Ces textes, où vous croiserez d'autres animaux, vous feront sans doute rire ou sourire, de même qu'au détour d'une page, un jeu de mots, un récit fantaisiste, des mots gigognes…
Cet ouvrage vous propose un parcours libre à travers quelques sentiers que vous pourrez prendre et abandonner à votre guise. Vous y rencontrerez des poètes célèbres, d'autres qui le sont moins, des poètes anciens et des poètes contemporains.

Victor Hugo ***(1802-1885)*** *est l'auteur de nombreux ouvrages : romans, pièces de théâtre et recueils poétiques.*
« Aux Feuillantines » est extrait d'un recueil de poèmes, Les Contemplations, *où l'auteur compte livrer les « mémoires d'une âme » en rapportant ses souvenirs d'enfance et de jeunesse. Ce texte évoque le jour où le jeune Victor fit la découverte d'un livre qui allait le marquer pour le restant de sa vie.*

Aux Feuillantines[1]

Mes deux frères et moi, nous étions tout enfants.
Notre mère disait : « Jouez, mais je défends
Qu'on marche dans les fleurs et qu'on monte aux échelles. »

Abel était l'aîné, j'étais le plus petit.
5 Nous mangions notre pain de si bon appétit,
Que les femmes riaient quand nous passions près d'elles.

note

1. *Feuillantines :* nom d'un ancien couvent situé à Paris. Il fut transformé en demeure où Hugo passa une partie de son enfance.

Nous montions pour jouer au grenier du couvent.
Et là, tout en jouant, nous regardions souvent
Sur le haut d'une armoire, un livre inaccessible.

10 Nous grimpâmes un jour jusqu'à ce livre noir ;
Je ne sais pas comment nous fîmes pour l'avoir,
Mais je me souviens bien que c'était une Bible.

Ce vieux livre sentait une odeur d'encensoir[1].
Nous allâmes ravis dans un coin nous asseoir.
15 Des estampes[2] partout ! quel bonheur ! quel délire !

Nous l'ouvrîmes alors tout grand sur nos genoux,
Et, dès le premier mot, il nous parut si doux,
Qu'oubliant de jouer, nous nous mîmes à lire.

Nous lûmes tous les trois ainsi tout le matin,
20 Joseph[3], Ruth et Booz[4], le bon Samaritain[5],
Et, toujours plus charmés, le soir nous le relûmes.

Tels des enfants, s'ils ont pris un oiseau des cieux,
S'appellent en riant et s'étonnent, joyeux,
De sentir dans leur main la douceur de ses plumes.

Victor Hugo, « Aux Feuillantines », *Les Contemplations*, 1856.

notes

1. encensoir : petit récipient métallique servant à faire brûler l'encens lors des cérémonies religieuses.

2. estampes : images, gravures.

3. Joseph : fils de Jacob et de Rachel, il fut vendu par ses frères qui étaient jaloux de lui et devint ministre du pharaon en Égypte.

4. Ruth et Booz : Ruth était une jeune femme envoyée par Dieu pour épouser Booz et lui donner une descendance.

5. le bon Samaritain : personnage du Nouveau Testament qui secourut un homme blessé par des brigands.

***Théodore de Banville (1823-1891)** est un auteur épris de beauté et de perfection formelle. Dans son* Petit Traité de poésie française, *il se fait l'ardent défenseur d'une poésie qui suit des règles strictes, mais le sonnet « Querelle », évocation d'un souvenir d'enfance, montre qu'il est aussi capable de sensibilité et de nostalgie.*

Querelle

Lorsque ma sœur et moi, dans les forêts profondes,
Nous avions déchiré nos pieds sur les cailloux,
En nous baisant au front tu nous appelais fous,
Après avoir maudit[1] nos courses vagabondes.

5 Puis, comme un vent d'été confond les fraîches ondes[2]
De deux petits ruisseaux sur un lit[3] calme et doux,
Lorsque tu nous tenais tous deux sur tes genoux,
Tu mêlais en riant nos chevelures blondes.

Et pendant bien longtemps nous restions là blottis,
10 Heureux, et tu disais parfois : « Ô chers petits !
Un jour vous serez grands, et moi je serai vieille ! »

Les jours se sont enfuis, d'un vol mystérieux,
Mais toujours la jeunesse éclatante et vermeille[4]
Fleurit dans ton sourire et brille dans tes yeux.

Théodore de Banville, « Querelle », *Roses de Noël.*

notes

1. maudit : condamné, désapprouvé.

2. ondes : eaux.

3. lit : fond de la rivière.

4. vermeille : rouge. Ici, cette couleur est un symbole de santé.

Au fil du texte

Questions sur *Querelle* (page 9)

AVEZ-VOUS BIEN LU ?

1. Combien de personnages sont évoqués dans ce poème ?

2. Quels sont leurs liens de parenté ?

3. Où les enfants jouaient-ils ?

famille de mots : **ensemble des mots formés sur le même radical.**

repères de temps : **tous les éléments qui permettent de situer les événements dans le temps : compléments circonstanciels de temps, connecteurs temporels (alors, puis, ensuite, etc.).**

ÉTUDIER LE VOCABULAIRE

4. Cherchez dans le dictionnaire le sens de l'adjectif *« vagabond »* (vers 4). Vous donnerez ensuite les mots (verbe, noms) de la même famille*.

5. Quel est le sens du mot *« lit »* dans le poème (vers 6) ? Employez ce mot dans une phrase où il aura un sens différent.

6. Cherchez dans le dictionnaire le sens ancien du mot *« querelle »*. Quel rapport pouvez-vous faire entre ce titre et les propos de la mère ?

ÉTUDIER LA GRAMMAIRE

7. Quel est le temps dominant dans les trois premières strophes ? Et dans la dernière ?

8. Relevez, dans les deux premières strophes, deux propositions subordonnées temporelles.

9. Relevez tous les repères de temps* du poème et classez-les en fonction de leur nature (conjonction de subordination, adverbe, préposition, groupe nominal).

10. Quel est le sujet des verbes *« Fleurit »* et *« brille »* (vers 14) ?

Étudier la situation d'énonciation*

11. Qui est l'énonciateur* de ce poème ?

12. Qui est désigné par le *« tu »* ?

13. Relevez un passage au discours direct*. Qui parle ? Quel type de phrase* est employé dans ce passage ?

14. Quelles strophes renvoient au passé ? Quelle strophe renvoie au présent ?

15. Au moment où il écrit ce poème, le poète est-il enfant ou adulte ?

Étudier le thème du temps

16. Quelle image montre le passage du temps dans la dernière strophe ? À quoi sont comparés les jours ?

17. Qui est resté jeune ?

18. Trouvez, dans les vers 11 à 14, une antithèse* en rapport avec le thème du temps.

Étudier le sonnet (voir le dossier Bibliocollège, page 105)

19. Combien de strophes ce poème comporte-t-il ?

20. Combien de vers chaque strophe comporte-t-elle ? Donnez le nom de chaque type de strophe.

21. Comptez les syllabes du vers 3. Comment appelle-t-on ce type de vers ?

22. Observez l'agencement des rimes. Comment appelle-t-on les trois types de disposition des rimes utilisés dans ce poème ?

23. Lisez la définition du sonnet (page 105). Ce poème vous paraît-il correspondre à cette définition ?

situation d'énonciation : **circonstances dans lesquelles un énoncé (ce qui est dit ou écrit) est produit. Elle se définit par trois éléments : l'*énonciateur* (celui qui émet un énoncé), le destinataire, le lieu et le moment où l'énoncé est produit.**

discours direct : **le discours direct rapporte les paroles d'un personnage telles qu'elles ont été prononcées ; elles sont placées entre guillemets.**

type de phrase : **à chaque acte de parole (manière de s'adresser à quelqu'un pour provoquer ses réactions) correspond un type de phrase : déclaratif, interrogatif, injonctif ou exclamatif.**

antithèse : **rapprochement de deux idées ou de deux mots de sens contraire.**

Étudier l'écriture

24. Relevez la longue comparaison* de la deuxième strophe. Par quel mot cette comparaison est-elle introduite ?

25. Observez la place de l'adjectif *« Heureux »* (vers 10). Pourquoi le poète a-t-il placé le mot à cet endroit ?

À vos plumes !

26. Imaginez un autre titre possible pour ce poème.

27. Il a dû vous arriver, comme aux personnages du poème, de jouer longtemps hors de la maison pendant que vos parents vous attendaient, inquiets. Faites le récit de cet épisode sans oublier le dialogue entre vos parents et vous à votre retour.

28. Composez un petit poème de quatre vers (de 6 ou 8 syllabes) sur un sujet de votre choix en suivant la même disposition de rimes que la première strophe.

comparaison : **mise en relation de deux éléments pour en souligner la ressemblance, à l'aide d'un outil de comparaison (comme, tel, ainsi que, pareil à, etc.).** ***Exemple :*** **La mer est comme un miroir.**

***Arthur Rimbaud (1854-1891)** fut un poète précoce qui composa ses premiers poèmes à l'âge de seize ans. Révolté et novateur, il est l'auteur d'une œuvre brève qui a profondément transformé la poésie. Le poème « Les Effarés », composé vers 1870, est l'un de ses premiers textes.*

Les Effarés

Noirs dans la neige et dans la brume,
Au grand soupirail[1] qui s'allume,
Leurs culs en rond,

À genoux, cinq petits – misère ! –
5 Regardent le boulanger faire
Le lourd pain blond.

Ils voient le fort bras blanc qui tourne
La pâte grise et qui l'enfourne
Dans un trou clair.

10 Ils écoutent le bon pain cuire.
Le boulanger au gras sourire
Grogne un vieil air.

Ils sont blottis, pas un ne bouge,
Au souffle du soupirail rouge
15 Chaud comme un sein.

note

1. soupirail : ouverture ou fenêtre éclairant une pièce en sous-sol.

Quand, pour quelque médianoche[1],
Façonné comme une brioche
On sort le pain,

Quand, sous les poutres enfumées,
20 Chantent les croûtes parfumées
Et les grillons,

Que ce trou chaud souffle la vie,
Ils ont leur âme si ravie
Sous leurs haillons[2],

25 Ils se ressentent si bien vivre,
Les pauvres Jésus[3] pleins de givre,
Qu'ils sont là tous,

Collant leurs petits museaux roses
Au treillage[4], grognant des choses
30 Entre les trous,

Tout bêtes, faisant leurs prières
Et repliés vers ces lumières
Du ciel rouvert,

Si fort, qu'ils crèvent leur culotte[5]
35 Et que leur chemise tremblote
Au vent d'hiver.

Arthur Rimbaud, « Les Effarés », *Poésies*, 1870.

notes

1. médianoche : repas fait après minuit, réveillon.

2. haillons : vêtements très abîmés ou déchirés.

3. Jésus : ici, le terme signifie « enfants mignons ».

4. treillage : sorte de grillage.

5. culotte : pantalon court.

Marie Bashkirtseff, *Le Meeting*, 1884, musée du Luxembourg.

Au fil du texte

Questions sur *Les Effarés* (pages 13 et 14)

Avez-vous bien lu ?

1. En quelle saison et à quel moment la scène a-t-elle lieu ? Justifiez votre réponse.

2. Combien d'enfants sont présents ? Où se trouvent-ils ?

3. Pourquoi le boulanger fait-il le pain à ce moment-là ?

Étudier l'énonciation*

4. Trouvez, dans la deuxième strophe, un terme qui exprime le jugement du poète. Par quel signe de ponctuation ce terme est-il mis en valeur ?

5. Quelle expression, dans la neuvième strophe, exprime le sentiment du poète ? À qui les enfants sont-ils implicitement* comparés ? Pourquoi ?

6. Citez quelques exemples du niveau de langue* familier. Pourquoi l'auteur utilise-t-il ce niveau de langue ?

7. Quel sentiment le poète veut-il susciter chez le lecteur ? Justifiez votre réponse à l'aide de citations précises du texte.

énonciation : **mode sur lequel un énoncé (ce qui est dit ou écrit) est produit, et en particulier, manière dont l'auteur manifeste son point de vue.**

implicitement : **de manière implicite, c'est-à-dire sous-entendue.**

niveau de langue : **manière de s'exprimer en fonction des circonstances. On distingue quatre niveaux ou registres de langue : soutenu, courant, familier et vulgaire.**

Étudier la grammaire

8. Quel est le temps employé dans ce poème ? Quel est l'effet produit ?

9. Relevez, dans les strophes 6 à 8, deux propositions subordonnées temporelles et la proposition principale qu'elles complètent. Quel est l'effet produit par l'enchaînement des subordonnées temporelles ?

ÉTUDIER LE THÈME DE LA MISÈRE

10. Relevez les mots appartenant au champ lexical* de la misère dans tout le poème.

11. Cherchez dans un dictionnaire la signification du titre. Quel rapport pouvez-vous faire avec le thème du poème ?

12. À quels indices voyez-vous que cette scène ne se passe pas de nos jours ?

ÉTUDIER LA DESCRIPTION POÉTIQUE

13. Relevez, en deux colonnes, les mots appartenant aux champs lexicaux du froid et de la chaleur.

14. Quelles couleurs sont associées à l'espace du boulanger, à celui des enfants ?

15. Quels adjectifs qualifiant le boulanger accentuent l'opposition entre le boulanger et les enfants (vers 4 à 12) ?

16. Relevez la comparaison* de la strophe 5. Quelle est l'image évoquée ?

17. Par quels mots le poète compare-t-il les enfants à des animaux (vers 28 à 31) ? Pourquoi ce rapprochement paraît-il justifié ?

champ lexical : **ensemble des mots renvoyant à un même thème, à une même notion.**

comparaison : **mise en relation de deux éléments pour en souligner la ressemblance, à l'aide d'un outil de comparaison (comme, tel, ainsi que, pareil à, etc.).** ***Exemple :*** **La mer est comme un miroir.**

Étudier l'écriture (voir dossier Bibliocollège, page 102)

18. Combien de strophes le poème comporte-t-il ? De combien de vers chaque strophe est-elle formée ?

19. De combien de syllabes les deux premiers vers de chaque strophe sont-ils formés ? Connaissez-vous le nom de ce type de vers ?

20. Observez la disposition des rimes. Que remarquez-vous ?

21. Relevez les allitérations* et les assonances* du vers 14. Quel est l'effet produit par ces sonorités ?

allitération : **répétition d'une même consonne dans un vers ou une phrase.**

assonance : **répétition d'une même voyelle (ou son vocalique) dans un vers ou une phrase.**

À vos plumes !

22. Imaginez le dialogue des enfants tandis qu'ils observent le boulanger.

23. Vous est-il arrivé d'assister à une scène qui vous a inspiré de la pitié ? Racontez dans quelles circonstances, et décrivez le plus précisément possible les personnes en présence.

Lire l'image

Voir document page 15.

24. Que semblent faire les enfants dans le tableau ?

25. Comment le peintre souligne-t-il la pauvreté des enfants ?

Jacques Prévert (1900-1977) *est l'auteur de plusieurs recueils de poèmes dont le succès ne s'est jamais démenti auprès d'un vaste public. Ses thèmes de prédilection sont la justice, la liberté et le bonheur. S'inspirant souvent de l'univers de l'enfance, sur lequel il porte un regard plein de tendresse, il évoque avec simplicité les scènes de la vie quotidienne ou s'évade dans des récits pleins de fantaisie. « Le Cancre » est extrait du recueil* Paroles, *l'un des plus célèbres de l'auteur.*

Le Cancre

Il dit non avec la tête
mais il dit oui avec le cœur
il dit oui à ce qu'il aime
il dit non au professeur
5 il est debout
on le questionne
et tous les problèmes sont posés
soudain le fou rire le prend
et il efface tout
10 les chiffres et les mots
les dates et les noms
les phrases et les pièges
et malgré les menaces du maître
sous les huées[1] des enfants prodiges[2]
15 avec des craies de toutes les couleurs
sur le tableau noir du malheur
il dessine le visage du bonheur

Jacques Prévert, « Le Cancre », *Paroles*, Gallimard, 1949.

notes

1. ***huées :*** cris de moquerie.
2. ***enfants prodiges :*** enfants très doués.

***Claude Roy (1915-1997)**, qui fut journaliste, grand voyageur, romancier et poète, a laissé une œuvre variée qui témoigne de son enthousiasme et de sa curiosité pour le monde et les hommes. Cette faculté de s'émerveiller et ce goût de la liberté se retrouvent dans son œuvre pour la jeunesse : le recueil* Enfantasques *(1974), dont est tiré « L'Enfant sage », montre que Claude Roy se range du côté des enfants dont l'imagination est débordante, dans un monde d'adultes raisonnables.*

L'Enfant sage

Un nénuphar blanc jaune et blanc
qui s'ouvre sur un feu de braise,
un nénuphar plutôt content.
– Vous en prenez bien à votre aise

5 Un hérisson roux-rond et noir
qui va dîner au restaurant
avec une pie en robe du soir.
– Vous avez l'air intelligent

Une mésange qui fait l'ange
10 et faisant l'ange fait la bête
parce qu'une puce la démange.
– Vous me copierez la recette

Ce qui te passe par la tête,
quatre poissons et trois souris,
15 quand dans ta tête c'est la fête.
– On ne l'aurait vraiment pas dit

Où va-t-il donc chercher tout ça ?
Il a l'air d'un enfant si sage,
mais il ne l'est pas tant que ça.
20 – *Ça lui passera avec l'âge*

Ça lui passera. C'est dommage.
À quoi passera-t-il le temps
quand il sera grand, passé l'âge,
passé le temps des dépasse-temps ?

Claude Roy, « L'Enfant sage », *Enfantasques*, Gallimard, 1974.

Gustave Moreau, *Les Plaintes du poète*.
Ce tableau du peintre Gustave Moreau (1826-1898), tout comme celui de Poussin (p. 35) illustre le mythe de l'inspiration poétique : le dieu Apollon réconforte le poète en mal de création. On remarque qu'Apollon, richement vêtu, est coiffé du laurier, symbole de gloire, et qu'il porte la lyre, symbole de la poésie.

L'amour et l'amitié

***Pierre de Ronsard* (1524-1585)** *est un poète du XVIe siècle qui fonda, avec Joachim du Bellay entre autres, le mouvement poétique de la Pléiade. Surnommé le « prince des poètes » par ses contemporains, il est surtout célèbre pour ses recueils de poésie amoureuse où il chante les grâces de la femme aimée et le bonheur de l'amour, toujours menacés par le temps qui passe. Ce poème, à la forme simple et destiné à être chanté, fut sans doute mis en musique dès l'époque de Ronsard. L'orthographe du poème a été modernisée.*

Chanson

Bonjour mon cœur, bonjour ma douce vie,
Bonjour mon œil[1], bonjour ma chère amie !
    Hé ! bonjour ma toute belle,

note

1. mon œil : terme de tendresse.

Ma mignardise[1], bonjour,
5 Mes délices, mon amour.
Mon doux printemps, ma douce fleur nouvelle,
Mon doux plaisir, ma douce colombelle,
Mon passereau[2], ma gente[3] tourterelle,
Bonjour ma douce rebelle.

10 Je veux mourir, si plus on me reproche[4]
Que mon service[5] est plus froid qu'une roche,
T'abandonnant, ma maîtresse[6],
Pour aller suivre le Roi,
Et chercher je ne sais quoi,
15 Que le vulgaire[7] appelle une largesse[8].
Plutôt périsse honneur, cour et richesse,
Que pour les biens[9] jamais je te relaisse[10],
Ma douce et belle Déesse.

Pierre de Ronsard, « Chanson », *Le Second Livre des Amours*, 1560.

notes

1. mignardise : plaisir, délices. Terme de tendresse.

2. passereau : moineau.

3. gente : noble, aimable, gracieuse.

4. si plus on me reproche : si on me reproche encore.

5. service : le service désigne ici la cour que le chevalier fait à sa dame, dans la tradition médiévale courtoise.

6. maîtresse : la femme aimée.

7. le vulgaire : les gens.

8. largesse : générosité. Ici, les faveurs du roi.

9. les biens : les richesses.

10. je te relaisse : je t'abandonne.

Jean de Lingendes *est un auteur peu connu du XVIIe siècle, mais ce poème, qui était accompagné de musique, fut chanté à la cour de Louis XIII et connut un grand succès dans tout le royaume.*

Chanson

Si c'est un crime que l'aimer,
L'on n'en doit justement blâmer[1]
Que les beautés qui sont en elle :
La faute en est aux dieux
5 Qui la firent si belle,
Mais non pas à mes yeux.

Car elle rend par sa beauté
Les regards et la liberté
Incomparables devant elle :
10 La faute en est aux dieux
Qui la firent si belle,
Mais non pas à mes yeux.

Je suis coupable seulement
D'avoir beaucoup de jugement[2],
15 Ayant beaucoup d'amour pour elle :
La faute en est aux dieux
Qui la firent si belle,
Mais non pas à mes yeux.

notes

1. blâmer : accuser. ***2. jugement :*** goût.

Qu'on accuse donc leur pouvoir[1],
20 Je ne puis vivre sans la voir,
Ni la voir sans mourir pour elle :
La faute en est aux dieux
Qui la firent si belle,
Mais non pas à mes yeux.

Jean de Lingendes, *Chanson*.

Cette vignette gravée a figuré dans une édition ancienne des œuvres de La Fontaine. Elle représente la déesse de l'amour, Vénus, assise sur son char, accompagnée de petits Cupidon et de colombes.

note

1. ***leur pouvoir :*** celui des dieux.

***Marceline Desbordes-Valmore (1786-1859)**, poétesse d'une grande sensibilité, est l'auteur de plusieurs recueils de vers où elle exprime tour à tour les joies simples de la contemplation, de la vie de famille et les peines du deuil et de la séparation (elle perdit en effet quatre enfants). Elle fut admirée par les poètes qui lui succédèrent, tels Baudelaire ou Verlaine.*

Les Cloches du soir

Quand les cloches du soir, dans leur lente volée,
Feront descendre l'heure au fond de la vallée ;
Quand tu n'auras d'amis, ni d'amours près de toi ;
    Pense à moi ! pense à moi !

5 Car les cloches du soir avec leur voix sonore
À ton cœur solitaire iront parler encore ;
Et l'air fera vibrer ces mots autour de toi :
    Aime-moi ! aime-moi !

Si les cloches du soir éveillent tes alarmes,
10 Demande au temps ému qui passe entre nos larmes :
Le temps dira toujours qu'il n'a trouvé que toi,
    Près de moi ! près de moi !

Quand les cloches du soir, si tristes dans l'absence,
Tinteront sur mon cœur ivre de ta présence ;
15 Ah ! c'est le chant du ciel qui sonnera pour toi,
    Et pour moi ! et pour moi !

Marceline Desbordes-Valmore, « Les Cloches du soir », *Poésies*, 1830.

Leconte de Lisle (1818-1894)*, né sur l'île de la Réunion où il passa son enfance et son adolescence, fut marqué toute sa vie par l'exotisme des terres lointaines. Une fois en France, il milita en faveur de l'abolition de l'esclavage. Il est proche du mouvement poétique du Parnasse et ses premiers poèmes s'inspirent de la littérature grecque dont il était un fin connaisseur (*Poèmes antiques*, 1852). Le poème « Les Roses d'Ispahan » témoigne de sa virtuosité et de son goût pour les jeux raffinés de la rime.*

Les Roses d'Ispahan

Les roses d'Ispahan[1] dans leur gaine de mousse,
Les jasmins de Mossoul[2], les fleurs de l'oranger
Ont un parfum moins frais, ont une odeur moins douce,
Ô blanche Leïlah ! que ton souffle léger.

5 Ta lèvre est de corail, et ton rire léger
Sonne mieux que l'eau vive et d'une voix plus douce,
Mieux que le vent joyeux qui berce l'oranger,
Mieux que l'oiseau qui chante au bord du nid de mousse.

Mais la subtile odeur des roses dans leur mousse,
10 La brise qui se joue autour de l'oranger
Et l'eau vive qui flue[3] avec sa plainte douce
Ont un charme plus sûr que ton amour léger !

notes

1. Ispahan : ville de Perse (Iran actuel), célèbre pour ses roseraies.

2. Mossoul : ville de Mésopotamie, sur la rive du Tigre (Irak actuel).

3. flue : coule.

Ô Leïlah ! depuis que de leur vol léger
Tous les baisers ont fui de ta lèvre si douce,
15 Il n'est plus de parfum dans le pâle oranger,
Plus de céleste arôme aux roses dans leur mousse.

L'oiseau, sur le duvet humide et sur la mousse,
Ne chante plus parmi la rose et l'oranger ;
L'eau vive des jardins n'a plus de chanson douce,
20 L'aube ne dore plus le ciel pur et léger.

Oh ! que ton jeune amour, ce papillon léger,
Revienne vers mon cœur d'une aile prompte[1] et douce,
Et qu'il parfume encor[2] les fleurs de l'oranger,
Les roses d'Ispahan dans leur gaine de mousse.

Leconte de Lisle, « Les Roses d'Ispahan »,
Poèmes tragiques, Lemerre, 1886.

notes

1. prompte : rapide.

2. encor : orthographe admise en poésie, pour les besoins de la versification.

Concert au jardin sous les amandiers en fleurs. Reproduction d'une enluminure persane, XVᵉ siècle.

Au fil du texte

Questions sur *Les Roses d'Ispahan* (pages 28 et 29)

Avez-vous bien lu ?

1. À qui le poème est-il adressé ?

2. Quelles sont les villes évoquées ?
Où se trouvent-elles ?

3. Quels sont les sentiments successifs du poète ?

Étudier le vocabulaire et la grammaire

champ lexical : ensemble des mots renvoyant à un même thème, à une même notion.

4. Relevez les mots appartenant au champ lexical* de l'odorat dans l'ensemble du poème.

5. En vous aidant du dictionnaire, reliez chacun de ces noms de vent à sa définition.

brise (vers 10) •	• vent d'est régulier, soufflant sous les tropiques.
typhon •	• vent doux et agréable.
zéphyr •	• vent sec et froid soufflant du nord.
alizé •	• cyclone des mers de Chine et de l'océan Indien.
bise •	• vent peu violent.

6. En vous aidant du dictionnaire, expliquez le sens de l'adjectif *« subtile »* (vers 9).

7. Relevez tous les adjectifs épithètes dans les deux dernières strophes.

8. Quel est le mode des verbes dans la dernière strophe ? Pourquoi ce mode est-il justifié ?

Étudier l'énonciation*

9. Qui est l'énonciateur* de ce poème ?

10. Trouvez un adjectif possessif qui renvoie à l'énonciateur.

11. Relevez les indices (nom, adjectifs possessifs) qui renvoient au destinataire* de ce poème.

12. Quel type de phrase* montre le mieux les sentiments du poète pour la femme aimée ? Citez ces phrases.

énonciation : **mode sur lequel un énoncé (ce qui est dit ou écrit) est produit, et en particulier, manière dont l'auteur manifeste son point de vue.**

énonciateur : **celui qui énonce (dit ou écrit) un texte.**

destinataire : **celui à qui l'on s'adresse.**

type de phrase : **à chaque acte de parole (manière de s'adresser à quelqu'un pour provoquer ses réactions) correspond un type de phrase : déclaratif, interrogatif, injonctif ou exclamatif.**

Étudier la forme du poème (voir dossier Bibliocollège, p. 102)

13. Combien de strophes ce poème comporte-t-il ?

14. De combien de vers chaque strophe est-elle composée ? Donnez le nom de ce type de strophe.

15. Comptez les syllabes du premier vers. Comment nomme-t-on ce type de vers ?

16. Observez l'agencement des rimes dans la première strophe. Comment appelle-t-on ce type de disposition ?

17. Observez le dernier mot de chaque vers dans l'ensemble du poème. Que remarquez-vous ?

18. Observez le premier et le dernier vers. Que remarquez-vous ?

Étudier l'écriture

19. Relevez les mots appartenant au champ lexical de la nature (faune, flore, etc.) dans les deux premières strophes. Quel décor vous permettent-ils d'imaginer ?

20. Qu'est-ce que le *« corail »* (vers 5) ? De quelle couleur est-il ? Pourquoi le poète compare-t-il les lèvres de la femme aimée au corail ?

21. À quoi sont comparés les baisers dans la strophe 4 ? Quel mot vous permet de comprendre la métaphore* ?

22. À quoi est comparé le *« jeune amour »* au vers 21 ? Quel mot prolonge la métaphore au vers 22 ?

métaphore : **la métaphore rapproche deux éléments pour en souligner la ressemblance sans outil de comparaison. *Exemple :* La mer est un miroir.**

À VOS PLUMES !

23. En reprenant les mots utilisés par l'auteur à la rime *(mousse, oranger, douce, léger)*, composez à votre tour un petit poème de quatre vers dans lequel vous ferez rimer ces mots.

24. Sur le modèle de l'image utilisée par Leconte de Lisle (*« lèvre de corail »*, vers 5), faites le portrait d'une personne (réelle ou imaginaire) en comparant chaque élément du visage à un autre élément (exemples : cheveux d'or, teint de lait, etc.). Vous pouvez aussi utiliser le terme « comme ».

25. Ce poème évoque l'univers des contes orientaux, notamment les *Mille et Une Nuits*. Imaginez et rédigez en quelques lignes l'histoire qui a pu inspirer le poète. Qui peut être Leïlah ? Pourquoi n'aime-t-elle plus son soupirant ? Quelle fin donneriez-vous à l'histoire ?

LIRE L'IMAGE

Voir document page 30.

26. Décrivez cette miniature persane en distinguant les différents plans.

***Marie Noël (1883-1968)** passa toute sa vie dans sa Bourgogne natale et se consacra entièrement à la poésie. Ses poèmes, où s'exprime avec simplicité une foi chrétienne sincère, ressemblent à des chansons populaires. La « Chanson » présentée ici est extraite de son premier recueil de poèmes.*

Chanson

Mon bien-aimé s'en fut chercher l'amour
Dès le matin parmi les fleurs écloses.
Pour le trouver il effeuillait les roses
Couleur du soir, de l'aurore et du jour.
5 Mon bien-aimé n'a pas trouvé l'amour.

Je l'attendais, pâle et grise lavande,
Et tout mon cœur embaumait son chemin.
Il a passé... j'ai parfumé sa main,
Mais il n'a pas vu mes yeux pleins d'offrande[1].

10 Mon bien-aimé s'en fut chercher l'amour
Au verger mûr quand midi l'ensoleille.
Pour le trouver il goûtait la groseille,
La pomme d'or, la pêche, tour à tour...
Mon bien-aimé n'a pas trouvé l'amour.

15 Je l'attendais, fraise humble à ses pieds toute[2]
Et mon sang mûr embaumait son chemin
Hélas ! mon sang n'a pas taché sa main.
Il a marché sur moi, suivant sa route.

notes

1. offrande : don, cadeau. **2. toute :** entièrement.

Vent du ciel ! vent du ciel éparpille mon cœur !
20 Je n'en ai plus besoin. Ô brise familière,
Perds-le ! Dessèche en moi ma source, éteins ma fleur,
Ô vent, et dans la mer va jeter ma poussière !

Marie Noël, « Chanson », *Les Chansons et les Heures*,
Gallimard, 1921.

Nicolas Poussin, *L'Inspiration du poète.*
Ce tableau du peintre français Nicolas Poussin (1594-1665) illustre le mythe de l'inspiration poétique : au centre, Apollon, dieu de la poésie et de la musique, portant la lyre, fait un geste vers le poète, prêt à écrire sous l'infuence du dieu.

Georges Brassens (1921-1981) *a été à la fois l'auteur, le compositeur et l'interprète de la plupart de ses chansons. Composées sur des musiques simples et accompagnées à la guitare, elles ont pour thème l'amitié, l'amour, la mort, la liberté. La « Chanson pour l'Auvergnat » fait partie des poèmes les plus touchants de ce troubadour des temps modernes.*

Chanson pour l'Auvergnat

Elle est à toi cette chanson
Toi l'Auvergnat qui sans façon
M'as donné quatre bouts de bois
Quand dans ma vie il faisait froid
5 Toi qui m'as donné du feu quand
Les croquantes et les croquants[1]
Tous les gens bien intentionnés
M'avaient fermé la porte au nez
Ce n'était rien qu'un feu de bois
10 Mais il m'avait chauffé le corps
Et dans mon âme il brûle encore
À la manièr' d'un feu de joie.

Toi l'Auvergnat quand tu mourras
Quand le croqu'mort t'emportera
15 Qu'il te conduise à travers ciel
Au père éternel.

note

1. croquants : paysans.

Elle est à toi cette chanson
Toi l'hôtesse qui sans façon
M'as donné quatre bouts de pain
20 Quand dans ma vie il faisait faim
Toi qui m'ouvris ta huche[1] quand
Les croquantes et les croquants
Tous les gens bien intentionnés
S'amusaient à me voir jeûner
25 Ce n'était rien qu'un peu de pain
Mais il m'avait chauffé le corps
Et dans mon âme il brûle encore
À la manièr' d'un grand festin.

Toi l'hôtesse quand tu mourras
30 Quand le croqu'mort t'emportera
Qu'il te conduise à travers ciel
Au père éternel.

Elle est à toi cette chanson
Toi l'étranger qui sans façon
35 D'un air malheureux m'as souri
Lorsque les gendarmes m'ont pris
Toi qui n'as pas applaudi quand
Les croquantes et les croquants
Tous les gens bien intentionnés
40 Riaient de me voir emmener

note

1. huche : coffre de bois où l'on gardait le pain, à la campagne.

Ce n'était rien qu'un peu de miel
Mais il m'avait chauffé le corps
Et dans mon âme il brûle encore
À la manièr' d'un grand soleil.

45 Toi l'étranger quand tu mourras
Quand le croqu'mort t'emportera
Qu'il te conduise à travers ciel
    Au père éternel.

Georges Brassens, *Chanson pour l'Auvergnat*,

Au fil du texte

Questions sur la *Chanson pour l'Auvergnat* (pages 36 à 38)

Avez-vous bien lu ?

1. Qu'apprend-on de l'énonciateur* de ce texte ?

2. Qu'arrive-t-il à cet énonciateur à la fin de la chanson ?

3. À combien de personnes différentes s'adresse-t-il ?

Étudier le vocabulaire et la grammaire

4. En vous aidant éventuellement du dictionnaire, expliquez le sens de l'expression *« bien intentionnés »* (vers 7, 23, 39).

5. Qu'est-ce qu'un *« croqu'mort »* ? Comment ce mot s'écrit-il normalement ?

6. Quel est le sens du mot *« hôtesse »* dans le texte (vers 18 et 29) ? Cherchez dans le dictionnaire l'étymologie* de ce mot et les termes de la même famille.

7. Que signifie le verbe *« jeûner »* (vers 24) ? Donnez les autres mots de la même famille* que vous connaissez.

8. Quel est le mode du verbe *« conduise »* (vers 15) ? Pourquoi ce mode est-il justifié ?

Étudier l'énonciation*

9. Relevez tous les pronoms qui renvoient à l'énonciateur dans la première strophe.

énonciateur : **celui qui énonce (dit ou écrit) un texte.**

étymologie : **l'origine (grecque, latine, etc.) d'un mot.**

famille de mots : **ensemble des mots formés sur le même radical.**

énonciation : **mode sur lequel un énoncé (ce qui est dit ou écrit) est produit, et en particulier, manière dont l'auteur manifeste son point de vue.**

10. Relevez tous les pronoms qui renvoient à « *l'Auvergnat* » dans la première strophe.

11. Pourquoi, selon vous, l'énonciateur* utilise-t-il le tutoiement pour s'adresser à ses destinataires* ?

12. Où l'énonciateur peut-il se trouver au moment où il parle ?

13. Quel est le niveau de langue* utilisé ? Citez quelques exemples à l'appui de votre réponse et dites pourquoi ce niveau de langue est justifié.

14. Pourquoi peut-on dire que cette chanson contient un récit ?

15. Dans quel but l'auteur a-t-il écrit cette chanson ? Quels sentiments envers ses destinataires cherche-t-il à exprimer ?

énonciateur : **celui qui énonce (dit ou écrit) un texte.**

destinataire : **celui à qui l'on s'adresse.**

niveau de langue : **manière de s'exprimer en fonction des circonstances. On distingue quatre niveaux ou registres de langue : soutenu, courant, familier et vulgaire.**

Étudier la chanson (voir dossier Bibliocollège, p. 105)

16. Une chanson est avant tout un texte poétique. Quels sont les éléments qui vous montrent que vous avez sous les yeux un véritable poème ?

17. Combien de strophes ou de couplets comptez-vous ?

18. Comment appelle-t-on le groupement de vers qui revient à la fin de chaque couplet ? Quel est le seul élément qui change dans ce passage ?

19. Comptez les syllabes du premier vers et donnez le nom de ce type de vers. Tous les vers de la chanson sont-ils de longueur égale ?

20. Pourquoi, selon vous, les mots « *croqu'mort* » et « *manièr'* » sont-ils écrits de cette façon ?

21. Quelle est la disposition des rimes dans les couplets ?

ÉTUDIER L'ÉCRITURE

22. Relevez tous les mots appartenant au champ lexical* du feu dans la première strophe.

23. Relevez les mots appartenant au champ lexical de la nourriture dans la deuxième strophe.

24. Pourquoi l'auteur compare-t-il le sourire de l'étranger à du *« miel »* (vers 41) ?

25. Que suggèrent les trois expressions : *« feu de joie »* (vers 12), *« grand festin »* (vers 28) et *« grand soleil »* (vers 44) ?

26. Pourquoi peut-on dire que le refrain ressemble à une prière ?

champ lexical : **ensemble des mots renvoyant à un même thème, à une même notion.**

À VOS PLUMES !

27. La tournure *« toi qui m'as donné du feu »* (vers 5) permet d'insister sur le sujet qui accomplit l'action. Conjuguez cette tournure (toi qui as donné) à toutes les autres personnes (moi, lui, nous, vous, eux) en veillant à la conjugaison correcte du verbe.

28. L'énonciateur de la chanson a été arrêté et jeté en prison. Imaginez la lettre que lui écrirait l'une des personnes évoquées (l'Auvergnat, l'hôtesse, l'étranger) pour le soutenir dans cette épreuve.

29. Un(e) ami(e) vous a rendu un service que vous n'avez pas oublié. Vous lui écrivez une lettre où, après avoir rappelé les circonstances du service rendu, vous lui exprimez votre reconnaissance.

Prolongements

30. En vous aidant des ressources du CDI, faites une recherche sur Georges Brassens et rédigez une petite biographie de cet auteur compositeur. Quels sont ses titres les plus célèbres ?

31. Cherchez le texte des « Copains d'abord », autre chanson de Brassens sur l'amitié, et comparez-la avec la « Chanson pour l'Auvergnat ». Laquelle préférez-vous ?

Mots et animaux

***Jean de La Fontaine (1621-1695)**, qui vécut sous le règne de Louis XIV, connut le succès grâce aux* Fables, *publiées entre 1668 et 1693. Le poète y dépeint la société de son époque et en particulier les mœurs de la cour qu'il eut l'occasion d'observer de près. De nombreuses fables, comme « Le Loup et l'Agneau », mettent en scène des animaux, mais ceux-ci ressemblent étrangement aux humains… Cette fable, célèbre entre toutes, illustre le thème de l'injustice.*

Le Loup et l'Agneau

La raison du plus fort est toujours la meilleure :
Nous l'allons montrer[1] tout à l'heure[2].

notes

1. nous l'allons montrer : nous allons le montrer.

2. tout à l'heure : immédiatement.

Un Agneau se désaltérait
Dans le courant d'une onde[1] pure.
5 Un Loup survient à jeun, qui cherchait aventure[2],
Et que la faim en ces lieux attirait.
« Qui te rend si hardi de[3] troubler mon breuvage ?
Dit cet animal plein de rage :
Tu seras châtié de ta témérité.
10 – Sire, répond l'Agneau, que Votre Majesté
Ne se mette pas en colère ;
Mais plutôt qu'elle considère
Que je me vas désaltérant[4]
Dans le courant,
15 Plus de vingt pas au-dessous d'Elle ;
Et que par conséquent, en aucune façon,
Je ne puis troubler sa boisson.
– Tu la troubles, reprit cette bête cruelle ;
Et je sais que de moi tu médis[5] l'an passé.
20 – Comment l'aurais-je fait si je n'étais pas né ?
Reprit l'Agneau ; je tète encor ma mère.
– Si ce n'est toi, c'est donc ton frère.
– Je n'en ai point. – C'est donc quelqu'un des tiens ;
Car vous ne m'épargnez guère,
25 Vous, vos Bergers, et vos Chiens.
On me l'a dit : il faut que je me venge. »
Là-dessus, au fond des forêts
Le Loup l'emporte, et puis le mange,
Sans autre forme de procès.

Jean de La Fontaine, « Le Loup et l'Agneau », *Fables*, I, 10. 1668.

notes

1. onde : eau.
2. aventure : une bonne occasion.
3. si hardi de : assez audacieux pour.
4. je me vas désaltérant : je me désaltère.
5. de moi tu médis : tu dis du mal de moi.

Au fil du texte

Questions sur *Le Loup et l'Agneau* (pages 43 et 44)

Avez-vous bien lu ?

1. Que fait l'agneau au moment où le loup survient ?

2. Dans quel cadre l'action se déroule-t-elle ?

3. Où l'agneau se trouve-t-il par rapport au loup ?

4. Cochez la bonne réponse.

☐ Le loup dévore l'agneau dès qu'il l'aperçoit.
☐ Le loup dévore l'agneau après un bref dialogue.
☐ Le loup renonce à dévorer l'agneau.

Étudier le vocabulaire et la grammaire

5. Que signifie l'expression *« à jeun »* (vers 5) ? Donnez un synonyme* ou une expression équivalente dans ce contexte.

6. Que signifie l'adjectif *« hardi »* (vers 7) ? Donnez au moins deux synonymes de ce mot et cherchez, dans les vers qui suivent, un mot appartenant au même champ lexical*.

7. Quel est le sens du mot *« breuvage »* (vers 7) dans le texte ? Trouvez son synonyme dans la fable.

8. Que signifie le mot *« châtié »* (vers 9) ? Donnez un synonyme et un mot de la même famille*.

9. Que signifie l'expression *« Sans autre forme de procès »* (vers 29) ?

10. Quel est le temps employé par le narrateur* au vers 28 ? Quelle est sa valeur ?

synonyme : **mot de même sens ou de sens voisin.**

champ lexical : **ensemble des mots renvoyant à un même thème, à une même notion.**

famille de mots : **ensemble des mots formés sur le même radical.**

narrateur : **celui qui raconte l'histoire.**

ÉTUDIER LA PROGRESSION DU RÉCIT

11. Retracez les étapes du récit en complétant le tableau suivant.

Étape du récit	Résumé	Temps des verbes
Situation initiale* du vers … au vers …		
Élément perturbateur* du vers … au vers …		
Dialogue* du vers … au vers …		
Situation finale* du vers … au vers …		

situation initiale : **état stable du début de l'histoire.**

élément perturbateur : **événement ou incident qui déclenche l'histoire.**

dialogue : **ensemble des répliques échangées par les personnages.**

situation finale : **état d'arrivée, toujours différent de la situation initiale.**

typographie : **choix des caractères et manière dont le poème est mis en page.**

ÉTUDIER LE DIALOGUE

12. Où commence le dialogue et où se termine-t-il ? À quelles marques (typographie*, temps) le voyez-vous ?

13. Lequel des deux animaux engage et termine le dialogue ? Pourquoi ?

14. Lequel des deux animaux tutoie l'autre ? Pourquoi ?

15. Quel pronom personnel et quelles expressions l'agneau utilise-t-il pour s'adresser au loup ? Que peut-on en déduire sur sa position par rapport au loup ?

16. Quel niveau de langue* l'agneau utilise-t-il ?

17. Faites la liste des arguments* employés par chacun des personnages en complétant le tableau suivant.

Vers	Accusations du loup	Réponses de l'agneau

18. Expliquez pourquoi tous les arguments du loup sont de mauvaise foi.

19. Quelle qualité laissent apparaître les réponses de l'agneau ?

ÉTUDIER LE GENRE DE LA FABLE

20. La fable contient toujours une moralité*. Où se trouve-t-elle dans cette fable ?

21. Quelle est la valeur du présent dans la moralité ?

22. Qui est désigné par le pronom *« nous »* (vers 2) ?

23. Dans quel sens faut-il comprendre l'adjectif *« meilleure »* (vers 1) ? La Fontaine veut-il nous inciter à défendre cette moralité ?

niveau de langue : **manière de s'exprimer en fonction des circonstances. On distingue quatre niveaux ou registres de langue : soutenu, courant, familier et vulgaire.**

argument : **raison que l'on donne pour convaincre.**

moralité : **partie de la fable qui tire les leçons de l'histoire. Elle est souvent détachée du récit par un blanc.**

24. L'histoire du loup et de l'agneau vous semble-t-elle une bonne illustration de la moralité ? Pourquoi ?

ÉTUDIER UN THÈME : L'INJUSTICE

25. Citez les expressions qui caractérisent le loup. Le dénouement de la fable confirme-t-il ces traits de caractère ?

26. Quel est l'âge de l'agneau ? Quelle expression du vers 21 souligne son innocence ?

27. De quels « crimes » le loup accuse-t-il l'agneau ? Ces accusations sont-elles fondées ?

28. Quelle est la véritable motivation du loup ?

29. La Fontaine pense-t-il seulement aux animaux en écrivant cette fable ?
Pensez-vous que, dans le monde des hommes, la raison du plus fort soit toujours la meilleure ?

ÉTUDIER L'ÉCRITURE (VOIR DOSSIER BIBLIOCOLLÈGE, P. 102)

30. Comptez les syllabes des deux premiers vers. Comment appelle-t-on ces types de vers ?

31. Avec quel mot rime le pronom *« Elle »* (vers 15) ? Que peut signifier cette rime ?

À VOS PLUMES !

32. Imaginez une fin différente à la fable : vous utiliserez le dialogue et le récit.

33. Vous est-il arrivé de subir la *« raison du plus fort »* ? Racontez dans quelles circonstances, en essayant de décrire les sentiments que vous avez éprouvés.

Le Loup et l'Agneau.
Gravure de J. Ettling d'après Gustave Doré, 1868.

Lire l'image

Voir document page 49.

34. Commentez la gravure de J. Ettling en observant la position de chaque animal, l'expression du loup et l'attitude de l'agneau.

Mise en scène

35. Cette fable, l'une des plus réussies de La Fontaine, se prête particulièrement bien au jeu théâtral : vous pouvez jouer la scène en classe en désignant un narrateur, le loup et l'agneau.

***Jean de La Fontaine (1621-1695)**, qui vécut sous le règne de Louis XIV, connut le succès grâce aux* Fables, *publiées entre 1668 et 1693. Le poète y dépeint la société de son époque et en particulier les mœurs de la cour qu'il eut l'occasion d'observer de près. De nombreuses fables, comme « La Grenouille qui se veut faire aussi grosse que le Bœuf », mettent en scène des animaux, mais ceux-ci ressemblent étrangement aux humains… Cette fable illustre l'un des thèmes favoris de l'auteur, celui de la vanité.*

La Grenouille qui se veut faire aussi grosse que le Bœuf

Une Grenouille vit un Bœuf
Qui lui sembla de belle taille.
Elle, qui n'était pas grosse en tout comme un œuf,
Envieuse, s'étend, et s'enfle, et se travaille[1],
5 Pour égaler l'animal en grosseur,
Disant : « Regardez bien, ma sœur ;
Est-ce assez ? dites-moi ; n'y suis-je point encore ?
Nenni[2]. – M'y voici donc ? – Point du tout. – M'y voilà ?
– Vous n'en approchez point. » La chétive[3] Pécore[4]
10 S'enfla si bien qu'elle creva.

Le monde est plein de gens qui ne sont pas plus sages :
Tout bourgeois veut bâtir comme les grands seigneurs,
Tout petit prince a des ambassadeurs,
Tout marquis veut avoir des pages[5].

Jean de La Fontaine, « La Grenouille qui se veut faire aussi grosse que le Bœuf », *Fables*, I, 3. 1668.

notes

1. se travaille : se fatigue.
2. Nenni : Non.
3. chétive : petite, faible.
4. Pécore : bête, animal.
5. pages : jeunes nobles placés auprès du roi ou d'un grand seigneur pour le servir et apprendre le métier des armes.

***Charles Baudelaire* (1821-1867)**, *poète majeur du XIXe siècle, était un esprit tourmenté qui a exprimé son mal de vivre dans des poèmes d'une grande originalité. Son regard singulier tente de saisir le mystère enfoui des choses, les symboles et les images invisibles. Son chef-d'œuvre,* Les Fleurs du Mal, *dont est extrait « Le Chat », fut condamné pour immoralité après un célèbre procès.*

Le Chat

I

Dans ma cervelle se promène,
Ainsi qu'en son appartement,
Un beau chat, fort, doux et charmant.
Quand il miaule, on l'entend à peine,

5 Tant son timbre[1] est tendre et discret ;
Mais que sa voix s'apaise ou gronde,
Elle est toujours suave et profonde.
C'est là son charme et son secret. [...]

II

De sa fourrure blonde et brune
10 Sort un parfum si doux qu'un soir
J'en fus embaumé, pour l'avoir
Caressée une fois, rien qu'une.

note

1. timbre : qualité sonore spécifique d'une voix, d'un instrument.

C'est l'esprit familier du lieu ;
Il juge, il préside, il inspire
15 Toutes choses dans son empire ;
Peut-être est-il fée, est-il dieu ?

Quand mes yeux vers ce chat que j'aime,
Tirés comme par un aimant,
Se retournent docilement,
20 Et que je regarde en moi-même,

Je vois avec étonnement
Le feu de ses prunelles pâles,
Clairs fanaux[1], vivantes opales[2],
Qui me contemplent fixement.

Charles Baudelaire, « Le Chat », *Les Fleurs du Mal*, 1857.

Baudelaire et son chat.
Gravure par Morin, 1869.

notes

1. fanaux : pluriel de « fanal », lanterne dans laquelle on fait brûler une bougie.

2. opales : pierres précieuses à reflets changeants.

Au fil du texte

Questions sur *Le Chat* (pages 52 et 53)

Avez-vous bien lu ?

1. De quelle couleur est le chat évoqué ?

2. Cochez la bonne réponse.
Le miaulement du chat est :
☐ doux ☐ rauque ☐ désagréable

étymologie : l'origine (grecque, latine, etc.) d'un mot.

champ lexical : ensemble des mots renvoyant à un même thème, à une même notion.

Étudier le vocabulaire

3. Cherchez dans le dictionnaire l'étymologie* des mots *« charme »* (vers 8) et *« charmant »* (vers 3). Que peut-on en déduire sur le pouvoir du chat ?

4. Que signifie ici le mot *« timbre »* (vers 5) ? Employez ce mot dans une phrase où il aura un autre sens.

5. En vous aidant du dictionnaire, expliquez la signification du terme *« empire »* (vers 15).

6. Quelle est l'étymologie du mot *« fée »* (vers 16) ?

7. Relevez deux mots appartenant au champ lexical* de la lumière dans la dernière strophe.

Étudier la grammaire

8. Ce poème compte de nombreux adjectifs qualificatifs qui servent à la description. Relevez, dans les deux premières strophes, un adjectif épithète et un adjectif attribut du sujet.

9. Relevez, dans les deux dernières strophes, deux adverbes. Lequel montre le pouvoir du chat sur le poète ?

10. Relevez, dans la dernière strophe, une proposition subordonnée relative et précisez son antécédent.

ÉTUDIER L'ÉNONCIATION*

11. Relevez, dans le poème, tous les pronoms personnels et les adjectifs possessifs qui renvoient à l'énonciateur*.

12. À qui s'adresse l'interrogation du vers 16 ?

13. Quels sont les sentiments du poète pour le chat ? Pourquoi peut-on dire que le poète est fasciné par l'animal ? Citez précisément le texte.

ÉTUDIER LA DESCRIPTION POÉTIQUE

14. Que veut dire le poète par l'expression *« Dans ma cervelle »* (vers 1) ?

15. Le chat évoqué est-il réel ou imaginaire ? Peut-on répondre avec certitude ? Justifiez votre réponse.

16. Relevez les mots et expressions qui caractérisent le chat. Est-il fascinant ? inquiétant ? Pourquoi ?

17. À l'aide de quelles métaphores* le poète décrit-il les yeux du chat ?

18. Quatre des cinq sens sont sollicités dans la description du chat. Complétez le tableau avec les mots correspondant à chaque sens.

Sens	Noms, verbes, adjectifs
ouïe	
toucher	
vue	
odorat	

énonciation : **mode sur lequel un énoncé (ce qui est dit ou écrit) est produit, et en particulier, manière dont l'auteur manifeste son point de vue.**

énonciateur : **celui qui énonce (dit ou écrit) un texte.**

métaphore : **la métaphore rapproche deux éléments pour en souligner la ressemblance sans outil de comparaison.** ***Exemple :*** **La mer est un miroir.**

ÉTUDIER LA FORME DU POÈME (VOIR DOSSIER BIBLIOCOLLÈGE, P. 102)

19. Quel type de vers est utilisé ?

20. De quel type de strophe le poème est-il composé ?

21. Quelle est la disposition des rimes dans ce poème ?

22. Relevez un exemple de rime riche.

À VOS PLUMES !

23. Essayez de décrire à votre tour un animal que vous aimez ou que vous admirez en utilisant des adjectifs qualificatifs et en ayant recours au lexique des sensations (vue, toucher, ouïe, odorat).

Guillaume Apollinaire (1880-1918)*, l'un des poètes les plus originaux du XXe siècle, a toujours été en quête de modernité. Passionné par « l'art nouveau » du début du XXe siècle, ami de nombreux artistes, il est l'auteur de recueils comme* Alcools *ou* Calligrammes*, qui ont définitivement marqué la poésie.*
« Le Paon » et « Le Dromadaire », à la tonalité humoristique, sont extraits d'un bestiaire où vingt-six animaux sont évoqués en quelques vers et illustrés chaque fois par une gravure de Raoul Dufy.

Le Paon

En faisant la roue, cet oiseau
Dont le pennage[1] traîne à terre,
Apparaît encore plus beau,
Mais se découvre le derrière.

Guillaume Apollinaire,
« Le Paon », *Le Bestiaire ou Cortège d'Orphée*,
illustré par Raoul Dufy,
Gallimard, 1911,
repris dans
Œuvres poétiques,
Bibliothèque de
la Pléiade, Gallimard.

note

1. pennage : plumage.

Le Dromadaire

Avec ses quatre dromadaires
Don Pedro d'Alfaroubeira
Courut le monde et l'admira.
Il fit ce que je voudrais faire
Si j'avais quatre dromadaires.

Guillaume Apollinaire, « Le Dromadaire »,
Le Bestiaire ou Cortège d'Orphée, illustré par Raoul Dufy,
Gallimard, 1911.

***Jacques Prévert (1900-1977)** est l'auteur de plusieurs recueils de poèmes dont le succès ne s'est jamais démenti auprès d'un vaste public. Ses thèmes de prédilection sont la justice, la liberté et le bonheur. S'inspirant souvent de l'univers de l'enfance, sur lequel il porte un regard plein de tendresse, il évoque avec simplicité les scènes de la vie quotidienne ou s'évade dans des récits pleins de fantaisie. Ce poème est extrait du recueil* Paroles *(1949).*

Pour faire le portrait d'un oiseau

Peindre d'abord une cage
avec une porte ouverte
peindre ensuite
quelque chose de joli
5 quelque chose de simple
quelque chose de beau
quelque chose d'utile
pour l'oiseau
placer ensuite la toile contre un arbre
10 dans un jardin
dans un bois
ou dans une forêt
se cacher derrière l'arbre
sans rien dire
15 sans bouger...
Parfois l'oiseau arrive vite
mais il peut aussi bien mettre de longues années
avant de se décider
Ne pas se décourager
20 attendre
attendre s'il le faut pendant des années

la vitesse ou la lenteur de l'arrivée de l'oiseau
n'ayant aucun rapport
avec la réussite du tableau
25 Quand l'oiseau arrive
s'il arrive
observer le plus profond silence
attendre que l'oiseau entre dans la cage
et quand il est entré
30 fermer doucement la porte avec le pinceau
puis
effacer un à un tous les barreaux
en ayant soin de ne toucher aucune des plumes de
l'oiseau
35 Faire ensuite le portrait de l'arbre
en choisissant la plus belle de ses branches
pour l'oiseau
peindre aussi le vert feuillage et la fraîcheur du
vent
40 la poussière du soleil
et le bruit des bêtes de l'herbe dans la chaleur de
l'été
et puis attendre que l'oiseau se décide à chanter
Si l'oiseau ne chante pas
45 c'est mauvais signe
signe que le tableau est mauvais
mais s'il chante c'est bon signe
signe que vous pouvez signer
Alors vous arrachez tout doucement
50 une des plumes de l'oiseau
et vous écrivez votre nom dans un coin du tableau.

Jacques Prévert, « Pour faire le portrait d'un oiseau »,
Paroles, Gallimard, 1949.

Joachim du Bellay ***(1522-1560)*** *fonda avec Ronsard le mouvement poétique de la Pléiade. Admirateur et imitateur des poètes de l'Antiquité, du Bellay n'en trouve pas moins une inspiration originale, souvent empreinte de mélancolie. Ayant passé quatre années à Rome, il publia à son retour le recueil des* Regrets, *dont est extrait le sonnet « Heureux qui, comme Ulysse... ». L'orthographe du poème a été modernisée.*

Heureux qui, comme Ulysse...

Heureux qui, comme Ulysse[1], a fait un beau voyage,
Ou comme celui-là qui conquit la toison[2],
Et puis est retourné, plein d'usage et raison[3],
Vivre entre ses parents le reste de son âge !

notes

1. *Ulysse* : héros de l'*Odyssée* d'Homère.

2. *celui-là qui conquit la toison* : Jason, héros de la mythologie grecque qui conquit la Toison d'or avec l'aide des Argonautes.

3. *usage et raison* : expérience et sagesse.

5 Quand reverrai-je, hélas, de mon petit village
Fumer la cheminée, et en quelle saison
Reverrai-je le clos de ma pauvre maison,
Qui m'est une province, et beaucoup davantage[1] ?

Plus me plaît le séjour qu'ont bâti mes aïeux[2]
10 Que des palais romains le front[3] audacieux,
Plus que le marbre dur me plaît l'ardoise fine,

Plus mon Loire[4] gaulois que le Tibre[5] latin,
Plus mon petit Liré[6] que le mont Palatin[7],
Et plus que l'air marin la douceur angevine[8].

Joachim du Bellay, « Heureux qui, comme Ulysse... »,
Les Regrets, 1558.

notes

1. et beaucoup davantage : tournure ancienne, signifiant « et bien plus encore ».

2. aïeux : ancêtres.

3. front : façade.

4. mon Loire : la Loire, ici au masculin.

5. Tibre : fleuve qui traverse Rome.

6. Liré : village dominant la vallée de la Loire, à proximité duquel naquit du Bellay.

7. mont Palatin : l'une des sept collines de Rome.

8. angevine : de la région d'Angers, sur la Loire.

Au fil du texte

Questions sur *Heureux qui, comme Ulysse...* (pages 61 et 62)

Avez-vous bien lu ?

1. Quel héros de la mythologie grecque est évoqué dès le premier vers ?

2. Cochez la bonne réponse.

☐ Le poète rêve de quitter son village et de voyager comme Ulysse.

☐ Le poète regrette son village natal, sur les bords de la Loire.

☐ Le poète souhaiterait vivre à Rome, sur les bords du Tibre.

Étudier le vocabulaire

3. Que signifie le terme *« raison »* (vers 3) ? Donnez les autres mots de la même famille* que vous connaissez.

4. Comment comprenez-vous l'expression *« le reste de son âge »* (vers 4) ? Donnez une expression équivalente.

5. Relevez les mots appartenant au champ lexical* de l'architecture (ou du bâtiment) dans la troisième strophe.

6. Relevez les mots appartenant au champ lexical de la nature dans la dernière strophe. En quoi ces deux champs lexicaux s'opposent-ils ?

famille de mots : **ensemble des mots formés sur le même radical.**

champ lexical : **ensemble des mots renvoyant à un même thème, à une même notion.**

Étudier la grammaire

7. Combien de phrases distinguez-vous dans ce sonnet ? Chaque strophe correspond-elle à une phrase ?

8. Combien de types de phrases* différents distinguez-vous ? Relevez un exemple de chaque type.

9. Quel comparatif de supériorité est répété plusieurs fois dans les deux dernières strophes ? Que permet-il de comparer ?

10. Quel verbe est sous-entendu dans la dernière strophe ?

type de phrase : à chaque acte de parole (manière de s'adresser à quelqu'un pour provoquer ses réactions) correspond un type de phrase : déclaratif, interrogatif, injonctif ou exclamatif.

énonciateur : celui qui énonce (dit ou écrit) un texte.

interjection : mot invariable qui exprime un sentiment ou une attitude.

Étudier le sonnet (voir dossier Bibliocollège, page 105)

11. Combien de strophes compte le poème ? De quel type de strophe s'agit-il ?

12. Quel est le type de vers utilisé ?

13. Observez la disposition des rimes. S'agit-il d'un sonnet régulier ?

Étudier le thème de la nostalgie

14. Relevez les adjectifs possessifs et les pronoms qui renvoient à l'énonciateur* du poème.

15. Relevez une interjection* dans la deuxième strophe. Comment l'interprétez-vous ?

16. Quels adjectifs possessifs et qualificatifs montrent l'affection du poète pour sa région natale (strophes 2 et 4) ?

17. Dans les deux dernières strophes, le poète compare sa région natale à la ville de Rome. Complétez le tableau de la page 66 en retrouvant les différents éléments comparés.

Ruines de Rome au XVIe siècle.

Jean Fouquet, *Paysage de Touraine* (détail).

Région natale	Rome
le séjour des aïeux	
	le marbre dur
mon Loire gaulois	
	le mont Palatin
	l'air marin

18. En vous aidant du tableau ci-dessus, caractérisez précisément les deux lieux opposés. Comprenez-vous la nostalgie du poète ?

À VOS PLUMES !

19. En vous aidant des ressources du CDI, faites une recherche rapide sur les deux personnages mythologiques évoqués, Ulysse et Jason. Quels voyages ces deux héros ont-ils accomplis ?

20. Vous avez connu, dans votre enfance ou lors d'un voyage, un lieu que vous avez particulièrement aimé et dont vous êtes nostalgique. Décrivez précisément ce lieu en utilisant des comparatifs (plus que, moins que, etc.) et en détaillant vos sentiments.

LIRE L'IMAGE

Voir documents page 65.

21. Comparez les deux images. Quelle impression se dégage des ruines romaines ? Étudiez les contrastes (végétation, constructions) entre les deux paysages.

Victor Hugo (1802-1885) *est l'auteur de nombreux ouvrages : romans, pièces de théâtre et recueils poétiques.*
« Demain, dès l'aube... », poème daté du 3 septembre 1847, a été écrit quelques années après la mort de sa fille aînée, Léopoldine, qui s'était noyée avec son mari lors d'une promenade en barque sur la Seine, le 4 septembre 1843.

Demain, dès l'aube...

Demain, dès l'aube, à l'heure où blanchit la campagne,
Je partirai. Vois-tu, je sais que tu m'attends.
J'irai par la forêt, j'irai par la montagne.
Je ne puis demeurer loin de toi plus longtemps.

5 Je marcherai, les yeux fixés sur mes pensées,
Sans rien voir au-dehors, sans entendre aucun bruit,
Seul, inconnu, le dos courbé, les mains croisées,
Triste, et le jour pour moi sera comme la nuit.

Je ne regarderai ni l'or du soir qui tombe,
10 Ni les voiles au loin descendant vers Harfleur[1],
Et, quand j'arriverai, je mettrai sur ta tombe[2]
Un bouquet de houx vert et de bruyère en fleur.

Victor Hugo, « Demain, dès l'aube... », *Les Contemplations*, IV, 1856.

notes

1. Harfleur : commune de Seine-Maritime, en Normandie.

2. ta tombe : il s'agit de la tombe de Léopoldine Hugo.

Alfred Sisley, *Le Bois des Roches*, Veneux-Nadon, 1880, musée du Louvre, Paris.

Au fil du texte

Questions sur *Demain, dès l'aube...* (page 67)

AVEZ-VOUS BIEN LU ?

1. À quelle occasion Victor Hugo a-t-il écrit ce poème ?

2. Par quel moyen le poète voyagera-t-il ?

3. Quel est le but de son voyage ?

ÉTUDIER LE VOCABULAIRE ET LA GRAMMAIRE

4. Que signifie la métaphore* *« l'or du soir »* (vers 9) ?

5. Que désignent *« les voiles »* (vers 10) ?

6. Relevez, dans la deuxième strophe, trois adjectifs apposés* qualifiant le poète.

7. Quel est le temps le plus employé dans ce poème ? Justifiez son emploi.

8. Relevez deux homographes* dans la dernière strophe. À quelle catégorie grammaticale appartient chacun de ces mots ?

ÉTUDIER LA SITUATION D'ÉNONCIATION*

9. Qui parle dans ce poème ? Relevez tous les pronoms renvoyant à l'énonciateur*.

10. À qui le poète s'adresse-t-il ? Quels pronoms renvoient à ce destinataire* ?

métaphore : **la métaphore rapproche deux éléments pour en souligner la ressemblance sans outil de comparaison. *Exemple :* La mer est un miroir.**

adjectif apposé : **adjectif qualificatif détaché du nom par une virgule.**

homographes : **mots qui s'écrivent et se prononcent de la même façon.**

situation d'énonciation : **circonstances dans lesquelles un énoncé (ce qui est dit ou écrit) est produit. Elle se définit par trois éléments : l'*énonciateur* (celui qui émet un énoncé), le destinataire, le lieu et le moment où l'énoncé est produit.**

énonciateur : **celui qui énonce (dit ou écrit) un texte.**

destinataire : **celui à qui l'on s'adresse.**

11. En observant les dates mentionnées en introduction, expliquez pourquoi l'auteur souhaite partir *« Demain »*. Pourquoi ce jour est-il particulièrement important ?

Étudier le thème du voyage

12. Relevez les indications de temps. Quelle est la durée du voyage ?

13. Quels sont les lieux traversés ?

14. Quels mots révèlent le but du voyage ? Quel est l'effet produit ?

défunt(e) : **personne décédée.**

Étudier le thème du deuil

15. La première strophe laisse-t-elle deviner que le poète s'adresse à une défunte* ? Pourquoi ?

16. Quels mots et expressions nous renseignent sur les sentiments du poète ?

17. Comment comprenez-vous en particulier l'expression *« le jour pour moi sera comme la nuit »* (vers 8) ?

Étudier la forme du poème (voir dossier Bibliocollège, page 102)

18. De quel type de strophe le poème est-il composé ?

19. Combien de phrases chaque strophe comporte-t-elle ?

20. Comment appelle-t-on le vers utilisé ?

21. Quelle est la disposition des rimes ? Comment s'appelle ce type de rimes ?

À vos plumes !

22. Vous est-il déjà arrivé d'éprouver un grand chagrin ? Racontez dans quelles circonstances en essayant de rendre compte précisément de ce que vous avez ressenti.

23. Écrivez à votre tour un petit poème (quatre à huit vers), rimé ou non, commençant par *« Demain, dès l'aube... »*.

Lire l'image

Voir document page 68.

24. Décrivez ce tableau du peintre impressionniste Sisley en insistant sur l'atmosphère qui se dégage de la peinture.

25. Comparez ce tableau avec le poème de Victor Hugo : quelles différences et quelles ressemblances pouvez-vous relever ?

***José Maria de Heredia (1842-1905)** est un poète d'origine cubaine, élevé en France, qui fit partie du mouvement poétique du Parnasse, aux côtés de Leconte de Lisle. Le recueil des* Trophées, *son œuvre maîtresse, est composé de 118 sonnets évoquant sous forme de tableaux ou de miniatures les grandes civilisations.*
« Épiphanie » recrée de façon saisissante l'épisode biblique de l'adoration des Rois mages.

Épiphanie[1]

Donc, Balthazar, Melchior et Gaspar, les Rois Mages,
Chargés de nefs[2] d'argent, de vermeil[3] et d'émaux[4],
Et suivis d'un très long cortège de chameaux,
S'avancent, tels qu'ils sont dans les vieilles images.

5 De l'Orient lointain, ils portent leurs hommages
Aux pieds du fils de Dieu, né pour guérir les maux
Que souffrent ici-bas l'homme et les animaux ;
Un page[5] noir soutient leurs robes à ramages[6].

Sur le seuil de l'étable où veille saint Joseph[7],
10 Ils ôtent humblement la couronne du chef[8]
Pour saluer l'Enfant qui rit et les admire.

notes

1. Épiphanie : visite des Rois mages à l'enfant Jésus.

2. nefs : le terme « nef » désigne ici un grand vase à boire ou un plat en forme de navire qui servait à la table des rois.

3. vermeil : argent doré.

4. émaux : ouvrages d'orfèvrerie en émail.

5. page : jeune homme au service d'un roi ou d'un grand seigneur.

6. ramages : dessins décoratifs de feuilles et de branches.

7. Joseph : époux de Marie, père nourricier de Jésus.

8. chef : tête.

C'est ainsi qu'autrefois, sous Augustus Caesar[1],
Sont venus, présentant l'or, l'encens[2] et la myrrhe[3],
Les Rois Mages Gaspar, Melchior et Balthazar.

José Maria de Heredia, « Épiphanie », *Les Trophées*, 1893.

Adoration des Mages.
Émail de Limoges, vers 1180.

notes

1. Augustus Caesar : empereur romain.

2. encens : substance résineuse parfumée que l'on fait brûler.

3. myrrhe : substance parfumée produite par l'arbrisseau du même nom.

Arthur Rimbaud (1854-1891) *fut un poète précoce qui composa ses premiers poèmes à l'âge de seize ans. Révolté et novateur, il est l'auteur d'une œuvre brève qui a profondément transformé la poésie. « Ma bohème », l'un des tout premiers poèmes de l'auteur, fait allusion aux fugues de l'adolescent sur les routes de France et de Belgique.*

Ma bohème[1]

Je m'en allais, les poings dans mes poches crevées ;
Mon paletot[2] aussi devenait idéal[3] ;
J'allais sous le ciel, Muse[4] ! et j'étais ton féal[5] ;
Oh ! là là ! que d'amours splendides j'ai rêvées !

5 Mon unique culotte[6] avait un large trou.
– Petit-Poucet rêveur, j'égrenais dans ma course
Des rimes. Mon auberge était à la Grande-Ourse[7].
– Mes étoiles au ciel avaient un doux frou-frou.

Et je les écoutais, assis au bord des routes,
10 Ces bons soirs de septembre où je sentais des gouttes
De rosée à mon front, comme un vin de vigueur ;

Où, rimant au milieu des ombres fantastiques,
Comme des lyres[8], je tirais les élastiques
De mes souliers blessés, un pied près de mon cœur !

Arthur Rimbaud, « Ma bohème », *Poésies*, 1870.

notes

1. *Ma bohème* : ma vie d'artiste, sans contrainte.

2. *paletot* : manteau.

3. *idéal* : expression ironique : le paletot est tellement usé que ce n'est plus qu'une idée de paletot.

4. *Muse* : dans la mythologie, les Muses, au nombre de neuf, inspirent les artistes. L'auteur s'adresse à la Muse de la poésie.

5. *féal* : compagnon fidèle.

6. *culotte* : pantalon.

7. *Grande-Ourse* : constellation, groupe d'étoiles ayant la forme d'un chariot.

8. *lyre* : instrument ancien à cordes pincées, symbole de la poésie depuis l'Antiquité.

Anna de Noailles (1876-1933), poétesse d'origine grecque par sa mère, recueillit très tôt l'héritage de la culture française et en particulier de la poésie romantique. Elle exprime avec lyrisme la passion des paysages et de la lumière, en particulier dans l'un de ses premiers recueils, L'Ombre des jours, *dont est extrait ce poème.*

Voyages

Un train siffle et s'en va, bousculant l'air, les routes,
L'espace, la nuit bleue et l'odeur des chemins ;
Alors, ivre, hagard, il tombera demain
Au cœur d'un beau pays en sifflant sous les voûtes.

5 Ah ! la claire arrivée au lever du matin !
Les gares, leur odeur de soleil et d'orange,
Tout ce qui, sur les quais, s'emmêle et se dérange,
Ce merveilleux effort d'instable et de lointain !

- Voir le bel univers, goûter l'Espagne ocreuse[1],
10 Son tintement, sa rage et sa dévotion[2] ;
Voir, riche de lumière et d'adoration,
Byzance[3] consolée, inerte et bienheureuse.

– Voir la Grèce debout au bleu de l'air salin[4],
Le Japon en vernis et la Perse en faïence,
15 L'Égypte au front bandé d'orgueil et de science,
Tunis, ronde, et flambant d'un blanc de kaolin[5].

notes

1. *ocreuse* : de couleur ocre, jaune orangé.

2. *dévotion* : attachement à la religion et à ses pratiques.

3. *Byzance* : nom ancien d'Istanbul, en Turquie.

4. *salin* : qui contient du sel.

5. *kaolin* : argile blanche dont on fait la porcelaine.

–Voir la Chine buvant aux belles porcelaines,
L'Inde jaune, accroupie et fumant ses poisons,
La Suède d'argent avec ses deux saisons,
20 Le Maroc, en arceaux[1], sa mosquée et ses laines...

Anna de Noailles, « Voyages », *L'Ombre des jours*,
Calmann Lévy, 1902.

Première entrevue du prince Houmay et de la princesse Houmayoun. Enluminure du XVe siècle.

note

1. arceau : partie arrondie d'une arcade, d'une voûte, d'une porte, etc.

Poèmes pour rire

Jean de La Fontaine (1621-1695), qui vécut sous le règne de Louis XIV, connut le succès grâce aux Fables, *publiées entre 1668 et 1693. Le poète y dépeint la société de son époque et en particulier les mœurs de la cour qu'il eut l'occasion d'observer de près. De nombreuses fables, comme « Le Loup voulant imiter l'Aigle », mettent en scène des animaux, mais ceux-ci ressemblent étrangement aux humains... Cette fable montre avec humour qu'il ne faut pas toujours chercher à imiter les autres.*

Le Corbeau voulant imiter l'Aigle

L'oiseau de Jupiter[1] enlevant un Mouton,
Un Corbeau, témoin de l'affaire,
Et plus faible de reins, mais non pas moins glouton,
En voulut sur l'heure autant faire.

note

1. *L'oiseau de Jupiter* : l'aigle. Dans la mythologie latine, l'aigle était l'oiseau consacré de Jupiter, roi des dieux.

5 Il tourne à l'entour du troupeau,
Marque[1] entre cent Moutons le plus gras, le plus beau,
Un vrai Mouton de sacrifice :
On l'avait réservé pour la bouche des Dieux.
Gaillard Corbeau disait, en le couvant des yeux :
10 « Je ne sais qui fut ta nourrice ;
Mais ton corps me paraît en merveilleux état :
Tu me serviras de pâture[2]. »
Sur l'animal bêlant à ces mots il s'abat.
La Moutonnière créature
15 Pesait plus qu'un fromage, outre que sa toison
Était d'une épaisseur extrême,
Et mêlée à peu près de la même façon
Que la barbe de Polyphème[3].
Elle[4] empêtra si bien les serres du Corbeau,
20 Que le pauvre Animal ne put faire retraite.
Le Berger vient, le prend, l'encage bien et beau[5],
Le donne à ses enfants pour servir d'amusette.

Il faut se mesurer[6] ; la conséquence est nette :
Mal prend aux volereaux[7] de faire les voleurs.
25 L'exemple est un dangereux leurre[8] :
Tous les mangeurs de gens ne sont pas grands seigneurs ;
Où la Guêpe a passé, le Moucheron demeure.

Jean de La Fontaine, « Le Corbeau voulant imiter l'Aigle »,
Fables, II, 16. 1668.

notes

1. Marque : Repère.
2. pâture : nourriture des animaux.
3. Polyphème : géant monstrueux à l'œil unique, appartenant au peuple des Cyclopes, auquel Ulysse échappa par sa ruse dans l'*Odyssée* d'Homère.
4. Elle : la toison du mouton.
5. bien et beau : bel et bien.
6. se mesurer : bien évaluer ses forces.
7. volereaux : petits voleurs.
8. leurre : piège, illusion.

Le Corbeau voulant imiter l'Aigle.
Gravure d'après J.-B. Oudry, 1783.

Au fil du texte

Questions sur *Le Corbeau voulant imiter l'Aigle* (pages 77 et 78)

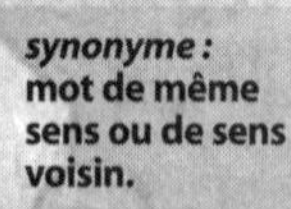

synonyme : mot de même sens ou de sens voisin.

Avez-vous bien lu ?

1. Quels sont les deux oiseaux de la fable ?

2. Pourquoi le corbeau veut-il enlever un mouton ?

3. Quel est le dénouement de la fable ?
Cochez la bonne réponse.
☐ Le corbeau emporte sa proie.
☐ Le corbeau échoue à enlever le mouton et se retrouve en cage.
☐ Le berger vient au secours du mouton et chasse le corbeau.

Étudier le vocabulaire

4. Comment comprenez-vous l'expression *« plus faible de reins »* (vers 3) ?

5. Donnez un synonyme* de l'adjectif *« glouton »* (vers 3).

6. Que signifie l'expression *« sur l'heure »* (vers 4) ?

7. Comment comprenez-vous l'expression *« en le couvant des yeux »* (vers 9) ?

8. Que signifie le verbe *« encage »* (vers 21) ?

Étudier la grammaire

9. Quels sont les temps employés dans le récit (vers 1 à 9, 13 à 22) ?

10. Comment nomme-t-on le présent employé dans les vers 21 et 22 ? Quel est l'effet produit par son emploi ?

11. Relevez le passage au discours direct*.
À quels signes le reconnaissez-vous ?

ÉTUDIER LE GENRE DE LA FABLE

12. Distinguez les différentes étapes du récit et donnez un titre à chacune de ces étapes.

13. Quel élément merveilleux* reconnaissez-vous dans cette fable ?

14. À quelle fable fameuse l'auteur fait-il allusion dans les vers 14 et 15 ?

15. Où se trouve la moralité* dans cette fable ? Quelle est la valeur du présent dans cette moralité ?

16. Quels sont les trois nouveaux exemples donnés dans la moralité ?

17. Citez, dans la moralité, le vers qui exprime le mieux l'idée de l'auteur.

18. De quels défauts humains le fabuliste* veut-il se moquer ?

ÉTUDIER LE COMIQUE

19. La Fontaine fait plusieurs allusions à la mythologie. Quelles sont-elles ? En quoi le contraste avec l'histoire du corbeau est-il comique ?

20. Relevez les expressions désignant le corbeau. Quel changement remarquez-vous dans ces appellations ?

21. Relevez deux expressions désignant le mouton. En quoi sont-elles amusantes ?

22. Pour quelles raisons le corbeau ne peut-il soulever sa proie ? En quoi ce dénouement est-il comique ?

discours direct : **le discours direct rapporte les paroles d'un personnage telles qu'elles ont été prononcées ; elles sont placées entre guillements.**

merveilleux : **extraordinaire, surnaturel.**

moralité : **partie de la fable qui tire les leçons de l'histoire. Elle est souvent détachée du récit par un blanc.**

fabuliste : **auteur qui compose des fables.**

Étudier l'écriture (voir dossier Bibliocollège, page 102)

23. Relevez un alexandrin et un octosyllabe.

24. Relevez un exemple de rimes croisées.

25. Quel est l'effet produit par l'énumération* de verbes dans les vers 21 et 22 ?

26. Que pensez-vous de la rime voleurs/seigneurs (vers 24 et 26) ? Que suggère l'auteur ?

***énumération* :** succession de termes qui forment une sorte de liste.

À vos plumes !

27. Les enfants du berger racontent la mésaventure du corbeau à des camarades en se moquant de lui. Imaginez leur récit.

28. Imaginez le discours plaintif du corbeau enfermé dans sa cage.

29. Vous est-il arrivé de suivre un mauvais exemple ? Racontez dans quelles circonstances.

Lire l'image

Voir document page 79.

30. Combien de plans distinguez-vous dans la gravure ?

31. Commentez la taille du corbeau par rapport à celle de l'aigle, pourtant à l'arrière-plan.

Lucie Spède (née en 1936) *est une poétesse belge de langue française, ayant écrit plusieurs recueils de poèmes pleins de fantaisie et d'humour. Ce petit texte, surprenant et drôle, vous donnera sans doute envie de lire d'autres poèmes de cet auteur.*

La Poésie comme elle s'écrit

Un mille-pattes à un mariage invité
N'y est jamais arrivé
Car il n'a pas pu achever
De lacer tous ses souliers...

Lucie Spède, *La Poésie comme elle s'écrit*, édité par Jacques Charpentreau, éditions de l'Atelier, 1979.

Jean Orizet (né en 1937) *a beaucoup voyagé à travers le monde avant de se consacrer à la poésie. Ses principaux recueils livrent une méditation sur le temps et la condition humaine, mais il s'est aussi adressé aux plus jeunes dans les* Poèmes recueillis dans la prairie, *dont est extrait « La Mouche qui louche ».*

La Mouche qui louche

Chaque fois que la mouche qui louche
    veut se poser au plafond
    elle s'y cogne le front
et prend du plâtre plein la bouche

Moralité
Pauvres mouches qui louchez
posez-vous sur le plancher

Jean Orizet, « La Mouche qui louche »,
Poèmes cueillis dans la prairie,
Le cherche-midi éditeur, 1978.

Dans la veine des recueils de poèmes drôles ou cocasses pour la jeunesse, ***Jean-Luc Moreau (né en 1937)*** *a publié un recueil de textes poétiques amusants intitulé* Poèmes de la souris verte. *« La Ronde » vous montrera avec humour que les objets qui nous entourent, peut-être doués de sentiments, sont aussi matière à faire de la poésie…*

La Ronde

Une jeune pantoufle aimait un vieux sabot.
La pantoufle était belle à vous couper le souffle ;
    Le sabot, lui, rien moins que beau,
    N'était qu'un minus, un nabot[1],
5   Pour comble amoureux d'une moufle,
    Laquelle moufle aimait un gant,
    Un gant bizarre, extravagant,
    Puisqu'il ne rêvait, le maroufle[2],
    Que de la main de la pantoufle
10 (La main d'une pantoufle est un présent des dieux !),
Alors que la pantoufle, à son tour, n'avait d'yeux,
Je vous l'ai dit, que pour un très très vieux...
    Mais faut-il vraiment que j'insiste
    En vous reparlant du sabot ?
15 On guérit de nos jours les plus subtils bobos :
    Que l'amour n'est-il sur la liste !

Jean-Luc Moreau, « La Ronde », *Poèmes de la souris verte*,
Livre de Poche Jeunesse, Hachette Livre, 1992.

notes

1. nabot : personne de très petite taille, nain.

2. maroufle : terme injurieux qui désigne un homme grossier, un fripon.

***Andrée Chédid (née en 1920)**, écrivain libanais d'expression française, est l'auteur d'une œuvre variée, faite de poésies, de romans et de pièces de théâtre. Nombre de ses ouvrages sont empreints de gravité mais le poème « L'Onomatopée » montre qu'Andrée Chédid ne manque pas d'humour lorsqu'elle s'adresse aux enfants. Pour apprendre la grammaire tout en vous amusant, lisez ce poème !*

L'Onomatopée

Lolo, nono,
Mama, topée !
C'est pas possible
À prononcer !

5 Glou-glou, tic-tac
Do-do, pé-pé,
Tout ça
C'est de l'O
NOMATOPÉE !

10 Lolo, nono,
Mama, topée !
Un mot
À vous rendre toqué !

Cui-cui, chut-chut
15 Boum-boum, yé-yé
Voilà des O
NOMATOPÉE !

Lolo, nono,
Mama, topée !
20 Pourquoi vouloir
Tout compliquer !

Andrée Chédid, « L'Onomatopée », *Grammaire en fête*, DR.

D'après Jérôme Bosch, *Le Concert dans l'œuf*, XVIIe siècle.
Ce tableau inspiré de l'œuvre du peintre flamand Jérôme Bosch (1450-1516) peut être interprété comme la représentation comique et symbolique de la folie. Le groupe central des chanteurs, où l'on distingue des religieux, émerge d'un œuf géant craquelé qui laisse passer des animaux musiciens. Ici, l'art du détail, les motifs drôles ou fantastiques, la précision du dessin rappellent les enluminures des manuscrits médiévaux.

*Pourquoi placer un glossaire dans un recueil de poèmes ? En effet, « Les Mots-gigognes » ne comporte ni rime, ni strophe, ni alexandrin. Et pourtant, les jeux de mots imaginés par **Claude-Rose** et **Lucien-Guy Touati**, pleins de fantaisie et d'humour, doivent sans doute beaucoup aux jeux poétiques des surréalistes ou de Jacques Prévert. Car jouer avec les mots, c'est déjà faire de la poésie.*

Les Mots-gigognes

A : Monter trop souvent sur la croupe d'un mulet. ACCUMULER (Ex. : « Il voyagea accumulé pendant dix jours ».)

B : Petit bouc aimant les fleurs. BOUQUET

5 **C :** Rat furieux faisant des ravages. CHOLÉRA

D : Âne gentil et docile qu'on ne rencontre qu'en changeant de pays. DOUANE

E : Très grosse récompense. EMBONPOINT

F : Pointe d'étoffe un peu ratée. FICHU

10 **G :** Jeune chat bien enveloppé vivant dans les prés. GRAMINÉE

H : Cheval-hérisson. HIPPIQUE

I : Habitant de l'Amérique centrale pas fichu de figurer dans l'annuaire. INCAPACITÉ

15 **J :** Breuvage limpide et transparent, excellent pour la santé, mis en bouteilles au Japon. JUDO

K : Petit garçon enrobé de couvertures. KIDNAPPÉ

L : Admirable bête mythique. LOUANGE

M : Enfant de très petite taille. MINIMUM

20 **N :** Adverbe protestant contre le manque de flair. NÉANMOINS

O : Phoque constatant qu'il n'y a plus rien à faire. OTARIE

P : Se dit d'une personne notoirement malade. PERSONNALITÉ

25 **R :** Batracien très bien coiffé. RAINETTE

S : Ennemi coupé en rondelles. SALAMI

T : Cri aigre poussé très rarement par la foule. TOLÉRANCE

V : Petit souhait empoisonné. VENIN

Claude-Rose et Lucien-Guy Touati, « Les Mots-gigognes » (extrait),
fragments du *Livre-jeu des mots-gigognes* in *Le Tireur de langue*,
édité par Jean-Marie Henry, DR.

Au fil du texte

Questions sur *Les Mots-gigognes* (pages 88 et 89)

Avez-vous bien lu ?

1. Ce petit glossaire* donne-t-il de vraies définitions ?

2. Toutes les lettres de l'alphabet sont-elles représentées ? Quelles lettres manquent ?

3. Comment le mot défini est-il mis en valeur ?

glossaire : **dictionnaire qui donne l'explication de mots mal connus.**

famille de mots : **ensemble des mots formés sur le même radical.**

Étudier le vocabulaire

4. Quel est le vrai sens de *« choléra »* ? Quel est le rapport avec la définition donnée ici ?

5. Cherchez dans le dictionnaire la définition du nom *« graminée »*. Quel élément de cette définition est conservé dans le mot-gigogne ?

6. Cherchez dans le dictionnaire la définition de l'adjectif *« hippique »*. Donnez quelques mots de la même famille* (en vous aidant du dictionnaire).

7. Cherchez dans le dictionnaire la définition de l'adjectif *« mythique »*. Donnez deux mots de la même famille en vous aidant du dictionnaire.

8. Qu'est-ce qu'un *« batracien »* ? Et une *« rainette »* ? Quels autres batraciens connaissez-vous ?

Étudier le jeu de mots

9. Cherchez dans le dictionnaire la définition du mot *« gigogne »*. Pourquoi le titre de *« mots-gigognes »* est-il bien choisi ?

10. La définition inventée par les auteurs a-t-elle toujours un rapport avec le véritable sens du mot en majuscules ?

11. En vous aidant des questions précédentes, expliquez le principe de « fabrication » de ces mots-gigognes.

12. Y a-t-il des jeux de mots que vous ne comprenez pas ? Dans ce cas, échangez des idées avec des camarades de classe. Tous les jeux de mots peuvent être éclaircis.

ÉTUDIER LES DÉFINITIONS

13. Quelles définitions renvoient à un animal ?

14. Quels mots-gigognes renvoient à des êtres humains ?

15. Quel mot défini contient un élément anglais ? Comment est-il traduit dans la définition proposée ?

16. Selon vous, quelles sont les définitions les plus amusantes ?

À VOS PLUMES !

17. Cherchez dans le dictionnaire des mots qui peuvent devenir des « mots-gigognes » et proposez des définitions sur le même modèle.

18. En mettant bout à bout les dix premières définitions, composez un petit récit que vous lirez en classe. Le résultat peut être inattendu !

19. Proposez, pour quelques mots que vous choisirez dans le texte, des charades de votre composition.

Retour sur l'œuvre

Questions sur le groupement « Poésie de l'enfance » (pages 7 à 22)

1. Reliez le titre de chaque poème au nom de son auteur.

Jacques Prévert •	• *L'Enfant sage*
Arthur Rimbaud •	• *Querelle*
Théodore de Banville •	• *Le Cancre*
Victor Hugo •	• *Les Effarés*
Claude Roy •	• *Aux Feuillantines*

2. Retrouvez dans la grille, grâce aux définitions, certains noms propres et mots de vocabulaire que vous avez rencontrés dans les poèmes.

Horizontalement :

A. Personnage du Nouveau Testament qui secourut un homme blessé.

B. Jeune femme qui, dans la Bible, épousa Booz.

C. Petit récipient métallique servant à faire brûler l'encens.

Verticalement :

1. Titre du poème de Jacques Prévert.

2. D'un rouge vif et léger.

3. Plante aquatique dont les grandes feuilles rondes s'étalent sur l'eau.

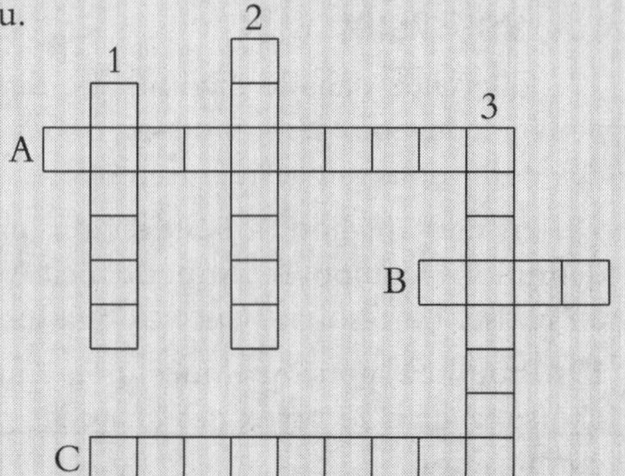

3. Quel titre de poème fait allusion à un lieu ?

....

4. Classez les poèmes selon qu'ils donnent une image heureuse ou malheureuse de l'enfance.

Enfance heureuse : ....

....

Enfance malheureuse : ....

....

5. Retrouvez la disposition des vers de ce quatrain de V. Hugo, présenté ici comme un texte en prose.

Mes vers fuiraient, doux et frêles, vers votre jardin si beau, si mes vers avaient des ailes. Des ailes comme l'oiseau.

Victor Hugo, *Les Contemplations*.

Questions sur le groupement « L'amour et l'amitié » (pages 23 à 42)

6. Quel poème a pour thème l'amitié ? Cochez la bonne case.

a) Chanson, de Ronsard ☐
b) Chanson, de J. de Lingendes ☐
c) Les Cloches du soir, de M. Desbordes-Valmore ☐
d) Les Roses d'Ispahan, de Leconte de Lisle ☐
e) Chanson pour l'Auvergnat, de G. Brassens ☐
f) Chanson, de M. Noël ☐

7. Quels poèmes ont un rapport avec la chanson ? Tous ont-ils été mis en musique et chantés ?

8. Quel poème est l'œuvre d'un musicien, auteur et compositeur ?

9. Comment se prénomme la jeune fille à laquelle s'adresse Leconte de Lisle ? Cochez la bonne case.

☐ Jihane ☐ Siham ☐ Leïlah ☐ Soraya

10. Reconstituez l'ordre de la *Chanson pour l'Auvergnat* en numérotant les phrases dans le bon ordre.

a) L'étranger a souri à l'auteur alors que ce dernier se faisait arrêter par les gendarmes. ☐

b) L'hôtesse a offert le couvert à l'auteur. ☐

c) L'Auvergnat a permis à l'auteur de se réchauffer chez lui. ☐

11. Reliez chaque auteur au siècle auquel il appartient. Certains auteurs appartiennent au même siècle.

Pierre de Ronsard •	
Jean de Lingendes •	• XVIe siècle
Leconte de Lisle •	• XXe siècle
Marceline Desbordes-Valmore •	• XIXe siècle
Georges Brassens •	• XVIIe siècle
Marie Noël •	

12. Indiquez si les propositions suivantes sont vraies ou fausses en cochant la bonne case.

	V	F
a) Ronsard s'adresse à sa maîtresse pour se plaindre de son infidélité.	☐	☐
b) Jean de Lingendes prétend qu'il n'est pas responsable de son amour pour sa belle car la faute en revient aux dieux.	☐	☐
c) Dans *Les Roses d'Ispahan*, Leconte de Lisle compare l'amour de la jeune femme à un « papillon léger ».	☐	☐
d) Dans *La Chanson pour l'Auvergnat*, l'auteur s'adresse au « croqu'mort » pour le remercier de son aide.	☐	☐
e) Dans la *Chanson* de Marie Noël, l'auteur se compare à la « pâle et grise lavande ».	☐	☐

Questions sur le groupement « Mots et animaux » (pages 43 à 60)

13. Reconstituez les rimes ci-dessous, empruntées aux poèmes que vous avez lus, à l'aide des mots suivants :

derrière – Majesté – secret – rage – profonde – beau.

Rimes suivies	Rimes croisées	Rimes embrassées
a breuvage	a oiseau	a discret
a	b terre	b gronde
b témérité	a	b ....
b	b	a ....

14. Cochez la bonne case pour chaque proposition.

a) En apercevant l'agneau, le loup l'accuse de :

☐ lui manquer de respect ;
☐ l'avoir dérangé dans son sommeil ;
☐ troubler sa boisson.

b) La grenouille est :

☐ moins grosse qu'un œuf ;
☐ aussi grosse qu'un œuf ;
☐ plus grosse qu'un œuf.

c) Le chat de Baudelaire est :

☐ fin et gracieux ;
☐ fort, doux et charmant ;
☐ majestueux et hautain.

d) Avec ses dromadaires, Don Pedro d'Alfaroubeira :

☐ traversa le désert ;
☐ courut le monde ;
☐ admira les pyramides.

e) Pour faire le portrait d'un oiseau, il faut :

☐ se servir d'une plume d'oiseau ;
☐ peindre une cage et attendre l'arrivée d'un oiseau ;
☐ le mettre en cage pour mieux le peindre.

15. À quel poème appartient chacun de ces vers ? Reliez chaque vers au titre qui convient.

La raison du plus fort est toujours la meilleure •	• *Le Paon*
Tout marquis veut avoir des pages •	• *Pour faire le portrait d'un oiseau*
C'est l'esprit familier du lieu •	• *Le Dromadaire*
Don Pedro d'Alfaroubeira •	• *Le Loup et l'Agneau*
En faisant la roue, cet oiseau •	• *Le Chat*
placer ensuite la toile contre un arbre •	• *La Grenouille qui se veut faire aussi grosse que le Bœuf*

16. Parmi les six poèmes du groupement « Mots et animaux », quels sont ceux qui appartiennent au genre de la fable ? À quoi le voyez-vous ?

17. Choisissez le poème que vous préférez dans ce groupement, apprenez-le et récitez-le à la classe en soignant le ton et la diction.

Questions sur le groupement « Monts et merveilles » (pages 61 à 76)

18. Retrouvez dans la grille ci-contre, grâce aux définitions, certains noms propres et mots de vocabulaire que vous avez rencontrés dans les poèmes.

Horizontalement :

A. Instrument ancien à cordes pincées.
B. Visite des Rois mages à l'enfant Jésus.
C. Nom de l'un des Rois mages.
D. Le pays du Soleil Levant.

Verticalement :

1. Nom du héros de l'*Odyssée* d'Homère.
2. Nom de l'une des sept collines de Rome.
3. Héros de la mythologie qui conquit la Toison d'or.

19. Associez chaque poète au siècle auquel il appartient.

Victor Hugo •	
Arthur Rimbaud •	• XVIe siècle
Joachim du Bellay •	• XIXe siècle
Anna de Noailles •	• XXe siècle
José Maria de Heredia •	

20. Indiquez si les propositions suivantes sont vraies ou fausses en cochant la bonne case.

	V	F
a) Du Bellay envie Ulysse et Jason car ils sont rentrés chez eux après avoir fait de beaux voyages.	☐	☐
b) Les Rois mages offrent à l'enfant Jésus des pierres précieuses et des soieries.	☐	☐
c) Les Rois mages viennent de l'Afrique lointaine.	☐	☐
d) La fille de Victor Hugo se nommait Léopoldine.	☐	☐
e) Arthur Rimbaud a voyagé en Bohême, région d'Europe centrale.	☐	☐
f) Dans le poème *Voyages*, Anna de Noailles évoque la Grèce, la Perse et la Suède.	☐	☐

21. Reconstituez les deux premiers quatrains du poème de Rimbaud à l'aide des mots suivants :

Grande-Ourse – culotte – crevées – paletot – splendides – étoiles – Muse.

Je m'en allais, les poings dans mes poches .... ;
Mon .... aussi devenait idéal ;
J'allais sous le ciel, ... ! et j'étais ton féal ;
Oh ! là là ! que d'amours .... j'ai rêvées !

Mon unique .... avait un large trou.
– Petit-Poucet rêveur, j'égrenais dans ma course
Des rimes. Mon auberge était à la ....
– Mes .... au ciel avaient un doux frou-frou.

22. Parmi les cinq poèmes du groupement « Monts et merveilles », trois sont des sonnets. Lesquels ? Pourquoi ? (Voir dossier Bibliocollège, page 105.)

23. Apprenez le poème que vous préférez dans ce groupement et récitez-le à la classe.

Questions sur le groupement « Poèmes pour rire » (pages 77 à 91)

24. Reconstituez l'histoire de *La Ronde* en numérotant les phrases dans le bon ordre.

a) Quant au gant, il ne rêvait que de la main de la pantoufle ! ☐

b) Or, le sabot était amoureux d'une moufle. ☐

c) Une belle et jeune pantoufle aimait un vieux sabot. ☐

d) Mais la moufle aimait un gant extravagant. ☐

25. Répondez aux questions en cochant la bonne réponse.

a) Qui est l'oiseau de Jupiter ?

☐ le corbeau ☐ l'aigle ☐ le faucon ☐ le héron

b) Polyphème est le nom d'un :

☐ mouton ☐ cyclope ☐ berger ☐ dieu grec

c) Quelle phrase résume le mieux la moralité de la fable *Le Corbeau voulant imiter l'Aigle* ?

☐ Il ne faut pas voler.

☐ Il est dangereux de chasser.

☐ Il ne faut pas chercher à imiter plus fort que soi.

☐ Les grands seigneurs sont cruels.

d) Qu'est-ce qu'une onomatopée ?

☐ un mot inventé ;

☐ un mot qui imite un bruit ou un cri ;

☐ un genre de poème ;

☐ un jeu.

e) En vous aidant des mots-gigognes, cochez l'intrus dans la liste suivante.

☐ choléra ☐ salami ☐ otarie ☐ karaté

26. Parmi les six poèmes du groupement « Poèmes pour rire », lequel préférez-vous ? Pourquoi ?

Dossier
Bibliocollège

Petit traité de versification*

LES DIFFÉRENTS TYPES DE VERS*

Le vers est caractérisé par le nombre de syllabes qu'il comporte. Les trois types de vers les plus utilisés dans la poésie française sont :
– l'**alexandrin** : vers de douze syllabes, le plus employé depuis le milieu du XVIe siècle. Il tient son nom d'un poème du XIIe siècle sur Alexandre le Grand.
– le **décasyllabe** : vers de dix syllabes (du grec *déka* : « dix »).
– l'**octosyllabe** : vers de huit syllabes (du grec *oktô* : « huit »).
Il existe d'autres types de vers, moins employés, dont le nom est formé sur le chiffre grec correspondant au nombre de syllabes : dissyllabe (2), trisyllabe (3), tétrasyllabe (4), pentasyllabe (5), hexasyllabe (6), heptasyllabe (7), ennéasyllabe (9), hendécasyllabe (11).
Le poète choisit le type de vers en fonction du sujet qu'il souhaite traiter et du rythme qu'il cherche à produire. Il peut aussi mélanger différents types de vers.
Par exemple, La Fontaine change de vers en fonction des circonstances : le plus souvent, l'alexandrin sert à faire parler les puissants (rois, dieux et animaux qui les symbolisent), mais aussi à énoncer la moralité, tandis que l'octosyllabe et le décasyllabe sont réservés aux personnages plus modestes.

Vocabulaire

versification : ensemble des règles qui permettent de composer des vers.

vers : suite de mots commençant par une majuscule et se caractérisant par un nombre de syllabes précis, par la rime et par le retour à la ligne.

LE DÉCOMPTE DES SYLLABES ET LA RÈGLE DU -E

La syllabe est un groupe de sons (ou phonèmes)

organisé autour d'une voyelle. C'est le nombre des syllabes qui détermine le type de vers.
Exemple : *Je / ne / puis / de / meu / rer / loin / de / toi / plus / long / temps* = 12 syllabes.
Dans le décompte des syllabes, le -e occupe une place particulière car il n'est pas toujours compté : c'est ce que l'on appelle le **-e caduc**, qui peut se trouver en fin de vers ou à l'intérieur du vers.
En fin de vers, il n'est jamais compté.
Exemple : *J'i / rai / par / la / fo / rêt, / j'i / rai / par / la / mon / tagn(e)* = 12 syllabes.
À l'intérieur du vers, on peut distinguer deux cas.
– Si le -e est placé **devant une voyelle**, il n'est ni compté ni prononcé.
Exemple : *Sans / rien / voir / au / de / hors, / sans / en / ten / dr(e) au / cun / bruit* = 12 syllabes.
– Si le -e est placé **devant une consonne**, il est compté et prononcé.
Exemple : *Et / sui / vis / d'un / très / long / cor / tè / ge / de / cha / meaux* = 12 syllabes.
Il faut donc faire attention à la place du -e caduc, non seulement pour bien compter les syllabes et déterminer le type de vers, mais aussi pour bien lire le poème.

Vocabulaire

rime : répétition d'un même son (ou phonème) à la fin de deux ou de plusieurs vers.

LES DIFFÉRENTS TYPES DE RIMES*

• La qualité des rimes

Il existe différents types de rimes, selon le nombre de sons que deux mots ont en commun.
La rime pauvre : les mots qui riment n'ont qu'un son commun.
*Exemple : v-**ie** / am-**ie**.*

La rime suffisante : les mots qui riment ont deux sons communs.
*Exemple : **m-aux** / ani-**m-aux**.*
La rime riche : les mots qui riment ont trois sons communs, ou plus.
*Exemple : hom-**m-a-ges** / ra-**m-a-ges***

• La disposition des rimes

Selon leur agencement, les rimes ont un nom différent.
Rimes plates ou suivies : les rimes se suivent selon le schéma **aabb**.
Exemple : amusette **a** *nette* **a** *voleurs* **b** *leurre* **b**

Vocabulaire

strophe : groupement de vers liés par la rime et séparé des vers suivants par un blanc.

Rimes croisées : les rimes se croisent selon le schéma **abab**.
Exemple : campagne **a** *m'attends* **b** *montagne* **a** *longtemps* **b**
Rimes embrassées : une rime **a** encadre une rime **b** selon le schéma **abba**.
Exemple : Mage **a** *émaux* **b** *chameaux* **b** *images* **a**

LES DIFFÉRENTS TYPES DE STROPHES*

La strophe est une forme qui est destinée à se répéter dans le poème. Elle peut contenir de deux à douze vers.
Les strophes les plus couramment utilisées sont :
– le **quatrain** : groupement de quatre vers ;
– le **tercet** : groupement de trois vers.
Mais on rencontre aussi le **distique** (deux vers qui riment ensemble), le **quintil** (cinq vers), le **sizain** (six vers), le **septain** (sept vers), le **huitain** (huit vers) et le **dizain** (dix vers). Moins fréquemment utilisés sont le **neuvain** (neuf vers), le **onzain** (onze vers) et le **douzain** (douze vers).

UNE FORME FIXE : LE SONNET

Le sonnet a été introduit en France au XVIe siècle, importé d'Italie et adapté par le poète Clément Marot. Il s'agit d'un poème bref de quatorze vers, composé de deux quatrains et de deux tercets. Les rimes du sonnet peuvent s'organiser de deux manières :
– abba / abba / ccd / eed ;
– abba / abba / ccd / ede.

Le dernier vers, appelé vers de chute, présente généralement une « pointe », un trait inattendu.
L'alexandrin est le type de vers le plus utilisé dans le sonnet, mais il n'est pas obligatoire.
La structure à la fois symétrique et souple du sonnet lui confère une grande harmonie et permet divers jeux d'opposition et de comparaison (voir le sonnet de Joachim du Bellay, page 61). C'est une forme qui a connu un grand succès du XVIe au XXe siècle.

LA CHANSON

Certains poèmes de ce recueil ont pour titre « Chanson ». Cela nous rappelle que la poésie a été liée à la musique dès ses origines, et que ce lien existe toujours.
En effet, la chanson est avant tout un **poème chanté**, mais qui offre une plus grande souplesse dans sa composition. On parle dans la chanson de **couplets** plutôt que de strophes. La chanson contient aussi en général un groupement de vers répété à intervalle régulier, appelé le **refrain**.

***Carte de l'Empire de Poésie*, par Fontenelle. D'après une gravure du Mercure de France (1696). Cette gravure représente de manière symbolique et sous la forme d'une carte de géographie l'art de la poésie : à chaque genre poétique correspond un relief ou un lieu particulier mais l'auteur y a aussi fait figurer les obstacles qui attendent le poète : la « Forêt de Galimatias », la « Province des Pensées fausses ».**

Il était une fois la poésie...

L'Antiquité

Les origines de la poésie se confondent avec les mythes de la Grèce antique. Les Grecs associaient en effet la poésie à plusieurs divinités ou personnages mythiques.
Les neuf Muses, filles de Zeus et de Mnémosyne, à chacune desquelles on attribue un domaine du savoir humain. Ainsi, le poète invoquait-il sa Muse afin de recevoir l'inspiration car les Grecs pensaient que l'inspiration était divine et sacrée, et qu'elle n'était donnée qu'à des êtres d'exception.
Orphée. Fils de Calliope, Muse de la poésie épique et du roi de Thrace, Orphée était l'un des rares mortels capables de rivaliser avec les dieux dans l'art de jouer de la lyre, alors étroitement associé à la poésie. L'art d'Orphée était tellement merveilleux qu'il était capable d'émouvoir la nature elle-même, d'adoucir les bêtes sauvages et d'attirer à lui les arbres et les montagnes. Orphée tomba amoureux de la nymphe Eurydice qu'il épousa, mais cette dernière mourut peu après la noce, piquée par une vipère. Fou de douleur, Orphée descendit aux Enfers afin d'en ramener Eurydice, ce que nul homme n'avait tenté avant lui. Par les accents de sa lyre, il réussit à émouvoir les divinités infernales qui l'autorisèrent à ramener sa femme au jour mais à la condition qu'il ne se retournerait pas pour la regarder. Mais alors qu'ils approchaient du monde des vivants, Orphée, pris de doute, se retourna, vit une dernière fois sa jeune épouse qui disparut à jamais dans les Enfers. Après la mort d'Orphée, les dieux placèrent sa lyre au ciel où elle devint une constellation.

À retenir

Durant l'Antiquité, la poésie était associée aux divinités (les neuf Muses, Apollon, Dionysos) et à un personnage mythique, Orphée.

Muse jouant de la cithare.
Coupe grecque, Paris, musée du Louvre.
Cette Muse musicienne chante en s'accompagnant de la cithare, instrument antique proche de la lyre, symbole de la poésie.

Troubadour et Châtelaine.

Le troubadour médiéval allait de château en château pour divertir les seigneurs et se mettait parfois à leur service. Dans cette gravure, qui représente sans doute une leçon de musique ou un duo, la dame lit un parchemin déroulé tandis que le troubadour l'écoute attentivement, son instrument de musique (luth ou mandoline) sur les genoux.

C'est de la « lyre » que vient le mot **lyrisme** qui désigne un type de poésie privilégiant l'expression des sentiments, l'amour, le deuil, la douleur du temps qui passe...

Apollon, dieu de la musique et de la poésie, charmait aussi les dieux de l'Olympe quand il jouait de la lyre, son instrument favori. Également dieu de la vérité et de la raison, il inspirait les poètes qui cherchaient à élucider les mystères du monde.

Dionysos, fils de Zeus et de Sémélé, était le dieu du vin et de l'ivresse. Les poètes inspirés par Dionysos étaient pris de « fureur », une sorte d'ivresse, et créaient, sous l'emprise du dieu, une poésie libre où les désirs et les sentiments se déchaînaient. C'est du culte de Dionysos qu'est née la **tragédie**, long poème chanté et mis en scène qui racontait les malheurs des héros.

La poésie faisait donc partie de la vie quotidienne des Grecs, accompagnait les fêtes religieuses et les divertissements. C'est pourquoi les plus anciens textes de la Grèce qui nous soient parvenus sont des poèmes, qui étaient chantés et accompagnés d'un instrument, sans doute la lyre. Le poète était d'ailleurs appelé **aède** (c'est-à-dire « chanteur »), car il chantait les exploits des dieux et des héros en s'accompagnant de la lyre.

Homère, auteur de l'*Iliade* et de l'*Odyssée*, est l'aède le plus célèbre de l'Antiquité grecque.

À retenir

Homère : poète grec ayant vécu entre le VIIIe et le VIIe siècle avant J.-C. Auteur de l'*Iliade* et de l'*Odyssée*.

Aède : poète et musicien qui chantait en s'accompagnant de la cithare ou de la lyre.

Le Moyen Âge

Au Moyen Âge, la poésie est encore étroitement associée à la musique. Les **trouvères** ou **troubadours**, artistes nomades, chantent leurs vers en s'accompagnant d'un instrument à cordes appelé la vielle. Certains d'entre eux, les **ménestrels**, s'attachent au service d'un grand seigneur. Les premières œuvres poétiques en ancien français, qui remontent au XIe siècle, étaient conçues pour être récitées devant un public aristocratique cultivé. Deux genres principaux étaient représentés :

– **la chanson de geste** (le mot « geste » signifie exploit guerrier) était un long poème destiné à exalter les valeurs guerrières et les exploits des héros, dans la tradition de la **poésie épique** antique. Le poète la récitait en utilisant toujours la même mélodie. *La Chanson de Roland*, qui date du début du XIIe siècle et qui relate les exploits du neveu de Charlemagne, Roland, est la plus connue des chansons de geste.

– **la poésie courtoise**, ou poésie lyrique de la cour, qui s'est surtout développée au XIIIe siècle, exaltait l'amour dans un idéal chrétien et chevaleresque : fidélité, honneur, respect de la parole donnée, pureté des sentiments pour une dame souvent inaccessible. Les *Lais* de Marie de France, poèmes lyriques chantés par les jongleurs bretons, le roman versifié de *Tristan et Iseult*, qui sont inspirés d'anciennes légendes celtiques, sont les meilleurs exemples de cette poésie courtoise médiévale.

À retenir

Au Moyen Âge, troubadours et ménestrels chantent les exploits guerriers dans la chanson de geste, et l'amour chevaleresque dans la poésie courtoise.

Poésie épique ou épopée : genre poétique où la légende se mêle à l'histoire et dont le but est de célébrer un héros ou un événement. L'*Iliade* d'Homère, l'*Énéide* de Virgile, *La Chanson de Roland* sont des épopées.

La Renaissance

À partir de la Renaissance, c'est-à-dire la période qui commence au XVIe siècle, la poésie se diversifie et se dissocie progressivement de la musique. Désormais, les poètes sont des artistes reconnus qui sont protégés par les grands seigneurs et les rois. Les poètes de la **Pléiade**,

À retenir

Au XVIe siècle, les poètes de la Pléiade, Ronsard et du Bellay, enrichissent la littérature par l'imitation des poètes antiques et introduisent des formes nouvelles, comme le sonnet.

rassemblés autour de **Pierre de Ronsard** (voir *Chanson*, page 23) et de **Joachim du Bellay** (voir *Heureux qui, comme Ulysse…*, page 61), ont une haute conception de leur mission et comptent enrichir la littérature par l'imitation des grandes œuvres de l'Antiquité et de la poésie italienne. Ils développent des formes nouvelles, comme le **sonnet** (voir page 105), et généralisent l'usage de l'**alexandrin** (voir page 102) qui s'imposera comme le vers français par excellence. Leurs thèmes de prédilection sont l'amour, la nature, le temps et, fait nouveau, l'inspiration poétique elle-même.

Les poètes de la Renaissance n'hésitent pas non plus à s'engager dans les conflits du temps, notamment à l'époque des guerres de Religion (1562-1598) qui opposèrent les catholiques aux protestants. Ronsard se fit ainsi le champion du camp catholique tandis qu'Agrippa d'Aubigné, entre autres, écrivait au nom des protestants.

Le XVIIe siècle

Le début du XVIIe siècle est marqué par l'art baroque qui privilégie l'exubérance et la variété ; tandis que la seconde moitié du siècle fait évoluer la poésie vers le classicisme, où dominent la mesure et l'équilibre.

Au XVIIe siècle, les poètes restent attachés au service des grands seigneurs ou du roi, mais l'apparition des salons, dans la haute société aristocratique, leur donne aussi l'occasion d'exercer leur talent et de se faire connaître. Le début du siècle, encore marqué par la tragédie des guerres de Religion, correspond à la période dite **baroque**, où tous les arts reflètent une même sensibilité, faite d'instabilité, de mouvement, de fantaisie, mais aussi de pessimisme et de fascination pour la mort. La poésie de cette époque porte la trace des incertitudes des hommes face au monde et invite souvent à la méditation religieuse. Mais la tendance baroque n'exclut pas les jeux galants et mondains que l'on appréciait dans les salons et que l'on a appelé la **préciosité**. Avec le règne de Louis XIV (1661-1715), les arts évoluent peu à peu vers le **classicisme**, où domine la mesure, l'équilibre et la raison. La poésie n'échappe pas à la règle et se voit strictement codifiée. C'est à l'Académie française, créée en 1635 par Richelieu, que revient la tâche d'établir ces règles de mesure et de sobriété, que Nicolas Boileau a fixées une fois pour toutes dans son *Art poétique* (1674). La poésie, ainsi ordonnée, a désormais pour mission de célébrer les « grands », c'est-à-dire le roi et les grands seigneurs. Les auteurs de tragédie – qui écrivaient en vers – tels **Corneille** ou **Racine**, mais aussi l'auteur des *Fables*, **Jean de La Fontaine** (voir *Le Loup et l'Agneau*, page 43, *La Grenouille qui se veut faire aussi grosse que le Bœuf*, page 51, *Le Corbeau voulant imiter l'Aigle*, page 77), appartiennent à la mouvance classique.

Le XVIIIe siècle

Au XVIIIe siècle, la poésie passe au second plan dans la hiérarchie des genres littéraires, car on la considère comme un divertissement, dans un siècle préoccupé par le progrès scientifique et les changements politiques et sociaux qui mènent à la Révolution de 1789. On assigne cependant à la poésie un rôle dans les débats d'idées : elle sert à attaquer ou à défendre une opinion, à travers l'**épigramme**, ou encore à instruire ou à illustrer des thèses politiques ou philosophiques, dans la **poésie didactique**. À la fin du siècle, toutefois, on assiste à un renouveau de la poésie lyrique, qui annonce le romantisme.

Auguste Renoir, *La Liseuse*, vers 1875-1876,
Paris, musée d'Orsay.

Le XIXe siècle

• Le romantisme

Au début du XIXe siècle, le mouvement romantique se constitue par réaction aux excès révolutionnaires ; les poètes souhaitent revenir à l'expression intime des sentiments individuels. Des poètes tels que **Victor Hugo** (voir *Aux Feuillantines*, page 7, *Demain, dès l'aube…*, page 67), **Alfred de Musset** ou encore **Alphonse de Lamartine**, qui se voient comme des prophètes ou des « éclaireurs » du peuple, expriment, dans des poèmes exaltés où l'émotion l'emporte sur la raison, le sentiment de communion qui les unit à la nature et les passions de l'âme (*Les Rayons et les Ombres* de Hugo, *Les Nuits* de Musset, *Les Méditations poétiques* de Lamartine). Les contraintes formelles du siècle classique sont abandonnées pour des formes plus libres où le lyrisme peut s'épancher : odes et ballades, poèmes longs. Les poètes romantiques défendent aussi le mélange des genres tragique et comique, des registres du beau et du laid et n'hésitent pas à employer des images frappantes. Ils poursuivent ainsi l'ambition d'une poésie qui serait l'écho du monde, dans toute sa complexité.

À retenir

La poésie romantique bouleverse les règles du classicisme en introduisant le mélange des genres et privilégie l'expression des sentiments.

Les poètes parnassiens défendent la théorie de l'art pour l'art : ils privilégient le style plutôt que l'expression des sentiments.

• Le Parnasse

Dans la seconde moitié du XIXe siècle, certains poètes, en rupture avec l'expression des sentiments romantiques, souhaitent mettre en valeur le travail poétique lui-même qu'ils comparent volontiers au travail du sculpteur ou de l'orfèvre. Ces poètes, appelés **parnassiens** (du nom du mont Parnasse, consacré à Apollon), ont le culte du travail minutieux de la langue et défendent la théorie de **l'art pour l'art** qui relègue les sentiments du poète au second plan. La poésie n'est plus faite pour le peuple mais pour une minorité d'érudits et de lettrés capable d'en comprendre les subtilités. **Leconte de Lisle**, auteur des trois recueils *Poèmes antiques* (1852), *Poèmes barbares* (1862) et *Poèmes tragiques* (1884, voir *Les Roses d'Ispahan*, page 28), et **José Maria de Heredia**, auteur des *Trophées* (1893, voir *Épiphanie*, page 72), sont les deux meilleurs représentants du mouvement parnassien.

• Le symbolisme

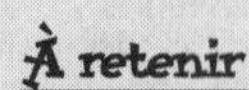

Le mouvement symboliste a donné naissance à quelques poètes majeurs du XIXe siècle : Baudelaire, Verlaine, Mallarmé.

En marge du mouvement parnassien, d'autres poètes ont commencé à s'exprimer de manière originale, s'écartant peu à peu du modèle, jugé artificiel, des poètes de l'art pour l'art. **Gérard de Nerval** et **Charles Baudelaire**, en prônant une poésie de la suggestion, des symboles non éclaircis, des rapports invisibles entre les êtres et les objets, ont été les précurseurs du symbolisme. Le recueil des *Chimères* de Nerval, ou celui des *Fleurs du Mal* de Baudelaire (voir *Le Chat*, page 52), illustrent cette nouvelle tendance, à travers une poésie difficile, voire obscure, que le lecteur est invité à déchiffrer et à interpréter. À la suite de ces deux auteurs, les poètes symbolistes comme **Paul Verlaine** ou **Stéphane Mallarmé** ont cherché, chacun dans un style différent, à susciter l'émotion par le mystère des rapprochements poétiques, par la musique de la langue et des sonorités. Verlaine en particulier, dans les *Poèmes saturniens* (1866) ou les *Fêtes galantes* (1869), attache une grande importance à la musicalité du vers. De son côté, Mallarmé, à la recherche d'une « poésie pure », travaille les symboles au point de produire des poèmes au sens obscur,

volontairement hermétiques, c'est-à-dire difficiles à comprendre. Le sens passe ainsi au second plan, derrière le travail sur les mots et leurs sonorités qui doivent susciter l'émotion particulière de la lecture.
En marge des différents mouvements poétiques du XIXe siècle, il faut accorder une place particulière au poète **Arthur Rimbaud** (voir *Les Effarés*, page 13 et *Ma bohème*, page 74), ami de Verlaine, qui rejeta assez rapidement tous ces modèles pour suivre sa propre voie, profondément originale. Sa poésie, novatrice et contestataire, porte la marque d'une certaine violence intérieure et d'un génie incontestable de la langue. Le recueil des *Illuminations* (1886), en particulier, a bouleversé le paysage poétique de la fin du XIXe siècle et anticipé sur la création moderne.

À retenir

Le début du XXe siècle est marqué par « l'art nouveau ». En poésie, Apollinaire incarne cette nouvelle tendance.

LE XXE SIÈCLE

• L'esprit nouveau

À l'aube du XXe siècle, les profonds changements liés à l'ère industrielle influencent tous les domaines de l'art. Un vent de modernité souffle sur l'ensemble de la création, qu'il s'agisse de la peinture, de l'architecture ou bien de la poésie. Les expositions universelles, l'extension du réseau ferroviaire, la construction de la tour Eiffel, du métro, transforment le paysage urbain et fascinent les poètes. La poésie ne se cantonne plus au domaine des sentiments ou des jeux de la langue, mais s'intéresse à ces sujets modernes que sont la ville et le progrès technique. **Guillaume Apollinaire** se fait le porte-parole de ce mouvement, proche de la peinture cubiste et de Picasso, où les formes anciennes et notamment symbolistes sont dépassées. La distinction entre prose et poésie tend à s'estomper, la ponctuation et la mise en espace du poème sur la page sont bouleversées, comme dans les *Calligrammes* d'Apollinaire de 1918 (voir Groupement de textes, pages 121 et 122).

• Le surréalisme

Au lendemain de la Première Guerre mondiale, un nouveau mouvement poétique, radicalement différent des précédents, émerge. Ce mouvement, appelé surréalisme, conteste l'ordre établi de la société et de la littérature. Il entend moderniser la poésie par le rejet de toute contrainte et par la liberté totale de l'imagination. Les poètes surréalistes souhaitent laisser s'exprimer les pulsions secrètes du rêve et du désir, en dehors de tout contrôle par la raison. Ils privilégient ainsi l'écriture automatique, une forme de création proche de l'hypnose où l'imagination peut dériver à sa guise. Ils apprécient aussi les jeux poétiques, les cadavres exquis, les collages et la transcription des rêves. Souvent pleine d'humour et volontiers provocatrice, la poésie surréaliste suscite des images totalement inattendues, en apparence incongrues. **André Breton** a été le chef de file de ce mouvement qui a rassemblé des poètes aussi célèbres que **Paul Éluard**, **Robert Desnos** ou **Louis Aragon**.

À retenir

La poésie surréaliste donne libre cours à l'imaginaire et à la fantaisie, en suscitant des images inattendues.

• La poésie depuis 1940

À partir de la Seconde Guerre mondiale, et bien que le roman soit devenu le genre littéraire le plus représenté, la poésie n'en continue pas moins de susciter des œuvres de premier plan. L'épisode de la guerre et de l'occupation (1939-1945) provoque un renouveau poétique. Les auteurs issus du surréalisme, en particulier Éluard et Aragon, trouvent des accents déchirants pour chanter la douleur de la France occupée et l'espoir de lendemains meilleurs.

Après 1945, les mouvements et les écoles poétiques ont tendance à laisser place à des auteurs singuliers, porteurs d'une vision particulière du monde, souvent empreinte d'humour. **Jacques Prévert** (voir *Le Cancre*, page 19, *Pour faire le portrait d'un oiseau*, page 59) se distingue par son goût pour une poésie du quotidien, ce qui ne l'empêche pas d'exprimer dans un langage simple un idéal de liberté et de fraternité. Ancien surréaliste, Prévert privilégie, dans une forme libre, les accumulations et les listes qui redonnent aux objets leur dimension poétique. Les jeux avec les mots et la forme du poème, hérités du surréalisme, continuent de prévaloir chez des poètes comme **Jean Cocteau** ou **Raymond Queneau**, tandis que d'autres auteurs font renaître une forme de lyrisme **(René-Guy Cadou)**.

À retenir

Après 1945, les mouvements poétiques laissent place à des auteurs singuliers : Prévert, Queneau, etc.

Groupement de textes : Calligrammes

Le calligramme est un poème dont les mots sont disposés de manière à former un dessin en rapport avec le sujet même du poème. Par le calligramme, la poésie échappe au cadre étroit du texte et se rapproche de l'image ou du dessin. C'est une tentative originale pour varier l'écriture poétique.
Le mot « calligramme », formé sur « calligraphie » et « idéogramme », a été employé pour la première fois par le poète Apollinaire qui l'a choisi pour titre d'un recueil de poèmes paru en 1918 ; mais les poèmes dessinés existent depuis bien plus longtemps puisque les premiers calligrammes remontent à l'Antiquité !
Les deux premiers calligrammes que vous allez lire (et regarder) sont tirés du recueil d'Apollinaire. Depuis, d'autres auteurs, et notamment ceux qui s'adressent à la jeunesse, se sont livrés au plaisir de ces poèmes-images que sont les calligrammes.

Il pleut, de Guillaume Apollinaire

Ce calligramme, extrait du recueil d'Apollinaire du même nom, imite dans l'agencement des mots le mouvement des gouttes de pluie, tombant de haut en bas. Cette présentation particulière va de pair avec la tonalité mélancolique du poème.

il mon il il o cou é
pleut coeur pleut pleut pluie ron cla
len se la et o ne tez
te fend por moi bel mes fan
ment en te je le a fa
il pen Au pleu pluie mis res
fait sant gus re d'a vain au
froid à te sur cier queurs beau
Des mes ou mes change et so
ra a vre a toi chan leil
fa mis la mis en ge vic
les qui bou que cou toi to
pas souf che la ron o ri
sent frent com pluie ne pluie eux
ve pour me en in de que
nant hâ pour chaî fi fer de
des ter le ne nie en vien
Cé la der à pour ray dra
ven vic nier l'in mes ons la
nes toi sou fi a d'or tris
re pir ni mis te
pluie

Guillaume Apollinaire, « Il pleut », *Poèmes épistolaires*, Gallimard, 1918, repris dans *Œuvres poétiques*, Bibliothèque de la Pléiade, Gallimard.

Cœur couronne et miroir, de Guillaume Apollinaire

Ces trois calligrammes, présentés sur une même page, forment un ensemble dans le recueil d'Apollinaire. Ici, le poète joue à la fois sur la disposition des mots, des syllabes et des lettres pour former les dessins suggérés par le titre. Le lecteur doit trouver le bon mode de lecture de ces calligrammes pour en déchiffrer le sens après les avoir regardés comme des images.

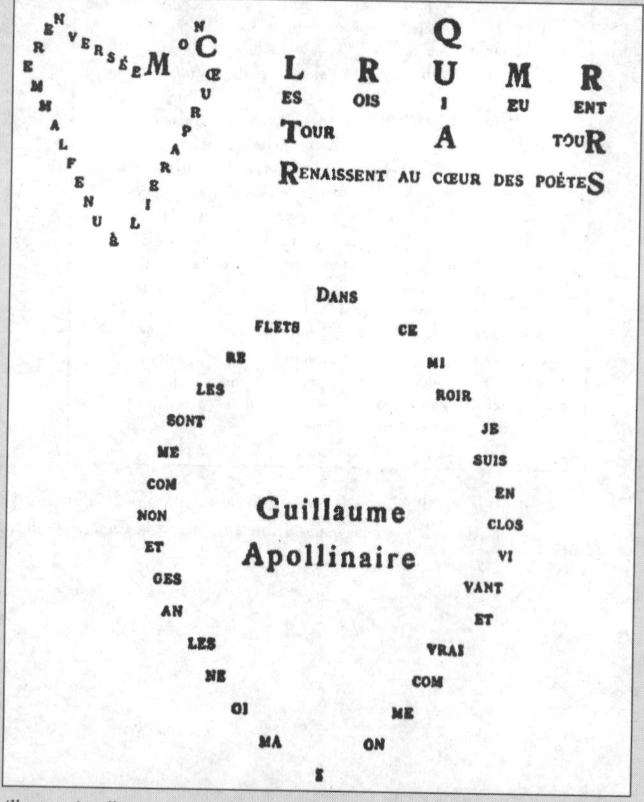

Guillaume Apollinaire, « Cœur couronne et miroir », *Calligrammes*, Gallimard, 1918.

L'Arche de Noé, de Vette de Fonclare

Vette de Fonclare (née en 1937) est l'auteur de ce calligramme plein d'humour représentant un oiseau qui ne peut voler mais qui possède de grandes plumes soyeuses. Les mots, disposés de façon à remplir l'espace correspondant au corps de l'animal, se lisent horizontalement. De quel oiseau s'agit-il ?

A-t-on
Jamais vu
Plus ridicule
Oiseau ?
Lourd
Long
Laid
Long
Laid
Long
Laid
Long
Laid
Long
Lourd
Si lourd
Long laid
Qu'il ne peut
Voler sur la savane ,
Ses ailes n'étant que tristes
Plumeaux lamentables , inutiles !
Son cou qui s'accroche aux nuages
Est si long , si laid , si déplumé
Et si tordu qu'il est une caricature
De cou de cygne , de héron , de grue.
Quant à sa tête minuscule et aplatie
Et presque chauve , elle apitoierait
Même le lion qui geint car il a faim
Mais sur son derrière, Regardez
Approchez-vous donc! Regardez
Ces plumes , là ! Oh Ah Oh!
Merveilleuses Oh Ah Oh!
Parures ! Oh Ah Oh!
Douce Oh Ah Oh!
Fine Oh Ah Oh!
Soie! Oh Ah Oh!
Joie Oh AH Oh!
Des Oh Ah Oh!
Yeux O Ah O!
Oh
Ah
Oh
Ah
Oh
Ah
Oh
Ah
Jolie parure
Pour
Les danseuses

Vette de Fonclare, « L'Arche de Noé », *L'Écharpe d'Iris*,
Le Livre de Poche Jeunesse Hachette Livre, 1990.

La Scribure, de Rolande Causse

Ce calligramme, tiré de *La Scribure* de Rolande Causse, diffère des précédents car il mêle les mots et le dessin. En effet, les mots et les lettres servent à tracer les contours du corps, mais la tête et les sabots du cheval sont dessinés de manière traditionnelle. Des bouquets de mots dessinent joliment la crinière et la queue.

Rolande Causse, *La Scribure*, Buchel Chastel, 1982.

Bibliographie

Des recueils de poèmes

Jacques Charpentreau, *Mots et Merveilles*, Saint-Germain des Prés, 1981.

Jacques Charpentreau, *Trésor de la poésie française*, Hachette Jeunesse, 3 tomes, 1997.

Jacques Charpentreau, *Jouer avec les poètes, 200 poèmes-jeux inédits de 65 poètes contemporains*, Le Livre de Poche Jeunesse, Hachette Livre, 1999.

Jacques Charpentreau, *La Poésie dans tous ses états*, éditions de l'Atelier, 1984.

Jacques Charpentreau, *Prête-moi ta plume*, Hachette Jeunesse, 1990.

Jacques Charpentreau, *Mon premier livre de poèmes pour rire*, éditions de l'Atelier, 1986.

L'Écharpe d'Iris, Le Livre de Poche Jeunesse, Hachette Livre, 1990.

Maurice Coyau, *Le Livre du haïku, anthologie-promenade*, Phébus, 1978.

Tour de terre en poésie, Rue du monde, 1998.

Le Tireur de langue, anthologie de poèmes insolites, étonnants ou carrément drôles, Rue du monde, 2000.

Pour lire quelques auteurs en particulier

Maurice Carême, *Au clair de la lune*, Hachette Jeunesse, 1993.

Andrée Chédid, *Grammaire en fête*, Atelier du Père Castor, Flammarion, 1993.

Pierre Coran, *Jaffabules*, Hachette Jeunesse, 1990.

Robert Desnos, *Chantefables et chantefleurs*, Gründ, 2000.

Jean-Luc Moreau, *Poèmes de la souris verte*, Livre de Poche Jeunesse, Hachette Livre, 1992.

Jacques Prévert, *Paroles*, Gallimard, 1949.

Jacques Roubaud, *Les Animaux de tout le monde*, Seghers, 1990.

Claude Roy, *Poésies*, Gallimard, 1970.

Claude Roy, *Enfantasques,* Gallimard, 1974.

Imprimé en Italie par Rotolito Lombarda
Dépôt légal : Mai 2010 - Collection n°46 - Edition n°06 - 16/8418/2